DATE DUE

RUSSIAN EMIGRÉ AUTHORS:

A BIOGRAPHICAL INDEX AND BIBLIOGRAPHY OF THEIR WORKS ON THEOLOGY, RELIGIOUS PHILOSOPHY, CHURCH HISTORY AND ORTHODOX CULTURE 1921-1972

Compiled by

Nicolas Zernov

G. K. HALL & CO., 70 LINCOLN STREET, BOSTON, MASS.

1973

РУССКИЕ ПИСАТЕЛИ ЭМИГРАЦИИ:

БИОГРАФИЧЕСКИЕ СВЕДЕНИЯ И БИБЛИОГРАФИЯ ИХ КНИГ ПО БОГОСЛОВИЮ, РЕЛИГИОЗНОЙ ФИЛОСОФИИ, ЦЕРКОВНОЙ ИСТОРИИ И ПРАВОСЛАВНОЙ КУЛЬТУРЕ

1921-1972

Составитель

Николай Зернов

G. K. HALL & CO., 70 LINCOLN STREET, BOSTON, MASS.

1973

Library of Congress Cataloging in Publication Data

Zernov, Nicolas.
(Russkie pisateli emigratsii)

Русские писатели эмиграции.

Prefatory matter in English.
1. Theology--Bio-bibliography. 2. Orthodox Eastern Church--Bibliography. 3. Orthodox Eastern Church, Russian--Bibliography. 4. Religious thought--Russia. I. Title. II. Title: Russian emigre authors.
Z7751.Z47 016.2 73-1958
ISBN 0-8161-1005-0

This publication is printed on permanent/durable acid-free paper.

ИЗ КНИГ ТОГО ЖЕ АВТОРА

ВСЕЛЕНСКАЯ ЦЕРКОВЬ И РУССКОЕ ПРАВОСЛАВИЕ
НА ПЕРЕЛОМЕ =Под редакцией=
ЗА РУБЕЖОМ =Под редакцией совместно с М.В. Зерновой=
РУССКОЕ РЕЛИГИОЗНОЕ ВОЗРОЖДЕНИЕ ДВАДЦАТОГО ВЕКА

SOME BOOKS BY THE SAME AUTHOR

MOSCOW, THE THIRD ROME
THREE RUSSIAN PROPHETS: (KHOMIAKOV, DOSTOEVSKY, SOLOVIEV)
THE RUSSIANS AND THEIR CHURCH
EASTERN CHRISTENDOM
ORTHODOX ENCOUNTER
THE RUSSIAN RELIGIOUS RENAISSANCE OF THE TWENTIETH CENTURY

ISBN 0-8161-1005-0

ОГЛАВЛЕНИЕ

TABLE OF CONTENTS

ПРЕДИСЛОВИЕ

Целью данной библиографии является показать, что было напечатано на вышеуказанные темы русскими эмигрантами в течение полустолетия 1921-1972 годов. Только авторы русского происхождения и отождествлявшие себя с православной Церковью включены в этот список. Литературные произведения, религиозная поэзия и книги, перепечатанные из дореволюционных изданий не попали в эту библиографию. Недостаток места сделал невозможным перечисление журнальных статей. В конце книги, однако, упомянуты церковные и религиозные журналы эмиграции и сборники православного направления.

Введение в библиографию, кроме краткого обзора того, что было создано в области религиозной мысли русским рассеянием, указывает на значение этой литературы для России и Западных стран. Английский перевод этого введения добавлен к этой библиографии.[1].

Заглавия книг печатаются на языке их изданий. Число страниц упомянуто по мере возможности. Места изданий сокращены следующим образом - для книг изданных по-русски: Б. - Берлин, Бл. - Белград, Дж. - Джорданвилл, М. - Мюнхен, Н-Й. - Нью-Йорк, П. - Париж, Пр. - Прага. Для книг изданных на иностранных языках: B. - Berlin, L. - London, M. - Munich, N.Y. - New York, Ox. - Oxford, P. - Paris.

Лица, желающие ознакомиться с другими библиографиями на сходные темы могут использовать следующие издания: Е. Спекторский и В. Давац, "Материалы для библиографии русских научных трудов за рубежом". Том I, Белград, 1931; том II, Белград, 1941. 2 издание 1972 г. А также "List of the Writings of Professors

---

1. Английский перевод этого введения был сделан проф. Т. Бэрд и напечатан в виде статьи в журнале "Diaconia", том 4, № 4, =1969=, N.Y. Автор приносит благодарность переводчику и журналу за позволение использовать текст для данной библиографии.

ПРЕДИСЛОВИЕ

of the Russian Theological Institute in Paris", ed. by L. Zander, 1932, 1937, 1947, 1954, 1965. Ссылки на эти библиографии обозначены следующими сокращениями: Мат. Биб. I. Бл. =I93I= и Мат. Биб. II. Бл. =I94I=. Зан. I932, Зан. I937, Зан. I947, Зан. I954, Зан. I965.

В моей работе по составлению библиографии я получил ценную помощь от проф. Н. Е. Андреева =Кембридж=, протопресвитера Георгия Граббе =Нью-Йорк=, проф. П. Е. Ковалевского =Париж=, Эдуарда Касинец =Нью-Йорк=, архиепископа Серафима =Чикаго=, д-ра Джона Симмонса =Оксфорд=, прот. Сергия Шукина =Канада=, Томаса Бирда =Нью-Йорк=, и проф. Н. Городецкой =Оксфорд=.

Им и всем авторам, ответившим на мои вопросы, я приношу благодарность за сотрудничество.

В некоторых случаях после имен авторов было оставлено свободное место в надежде получить дополнительные сведения, которые однако не осуществились.

Я буду весьма признателен за поправки и добавления к этой работе. Прошу их присылать по адресу: Dr. N. Zernov, St. Gregory and St. Macrina Houses, 1 Canterbury Road, Oxford OX2-6LU, England.

ВВЕДЕНИЕ

Установление Ленинской диктатуры в России вызвало массовый исход за границу противников коммунизма. В течение 1919-1922 годов несколько сот тысяч русских принуждено было покинуть родину и искать убежище за рубежом.

Большинство изгнанников нашло свое пристанище или на Балканах, или в Чехии, Германии и Франции. Другие из них попали в Маньчжурию и Китай. Первая эмиграция включала представителей разных национальностей, классов и политических убеждений. Среди этих лиц оказались также некоторые известные церковные деятели и богословы, как например: Митрополит Антоний =Храповицкий= =1864-1936=, Митрополит Евлогий =Георгиевский= =1868-1946=, Митрополит Анастасий =Грибановский= =1873-1965=, Епископ, впоследствии Митрополит, Вениамин =Федченко= =1882-1962=, В. Скворцов =1853-1934=, Проф. Н. Глубоковский =1863-1937=, Проф. А. Доброклонский =1856-1937= и другие. Их присутствие помогло организации Русской Церкви за рубежом.

Одной из характеристик первой русской эмиграции было повсеместное возникновение православных приходов. Несмотря на материальные лишения и неуверенность в будущем, русские люди стали повсюду устраивать богослужения, создавать церковные хоры и открывать школы для преподавания детям Закона Божьего, русского языка и истории. Желание объединиться вокруг Церкви привело к созыву собора в Сремских Карловцах, в Югославии, осенью 1921 года. На него съехалось одиннадцать епископов, около ста священников и мирян, представителей приходов во Франции, Германии, Швейцарии, Бельгии, Англии, Италии, Чехии и на Балканах. Это церковное собрание обнаружило два различных подхода к строительству церковной жизни за рубежом. Одни из его членов считали, что Церковь должна была содействовать восстановлению того государственного строя, который рухнул в феврале 1917 года. Другие же не хотели вовлекать Церковь в политическую борьбу и настаивали на необходимости искать новых путей для оцерковления жизни в непривычных условиях эмиграции. Расхождение между этими двумя направлениями, обнаружившееся на первом Карловацком Соборе, окрасило всю дальнейшую историю Русской Церкви за рубежом. Первое из них возглавлял сначала митрополит Антоний, а после его смерти митрополит Анастасий. Второе сгруппировалось вокруг митрополита Евлогия.

Решающий сдвиг в духовной жизни эмиграции произошел в 1922 году. Осенью этого года значительное число =около 70= профессоров Московского и Петроградского университетов были высланы со своими семьями в Германию. Это решение Советского правительства спасло для русской и мировой культуры многих выдающихся ученых, которые, вместо гибели в застенких Че-Ка, смогли продолжать свою творческую работу на Западе.

Среди высланных было несколько религиозных философов: Н. Бердяев =1874-1948=, С. Франк =1877-1950=, Н. Лосский =1870-1965=, Б. Вышеславцев =1871-1954= и И. Ильин =1883-1954=. В начале 1923 года к ним был присоединен протоиерей Сергий Булгаков =1871-1944=. Таким образом эмиграция обогатилась включением в ее состав православных мыслителей, которые не только стояли на высоте европейской науки, но и сознавали необходимость противопоставить марксизму продуманное христианское мировоззрение. Они были одушевлены желанием поделиться с Западным миром тем новым духовным опытом, который они приобрели, живя под тоталитарным коммунизмом.

Большинство богословских и религиозно-философских книг, изданных в эмиграции, принадлежит перу этих высланных ученых или их непосредственных учеников.

Если эта высылка была полной неожиданностью для русских, то не менее неожиданным был их приезд и для западных христиан. Вначале православные мыслители чувствовали себя никому не нужными изгнанниками, без средств к существованию и без возможности применить свои дарования. В то время на Западе было широко распространено мнение, что начавшееся гонение на христиан в России является заслуженным наказанием Церкви, якобы прислужнице павшей Империи. Однако это чувство потерянности длилось недолго. На русских богословов обратили внимание несколько иностранных религиозных деятелей, понявших значение людей, влияние которых считалось опасным вождями русских коммунистов. Эти друзья православия группировались вокруг Американского Союза Молодых Людей и Всемирной Студенческой Христианской Федерации – двух организаций, которые успели начать свою деятельность в России накануне революции.

Молодой швейцарец Г. Г. Кульманн =I894–I96I=, в то время работавший с бывшими русскими военнопленными в Германии, первый пришел на помощь высланным ученым.[I] Он заручился поддержкой Джона Мотта =I865–I955=, известного американского экумениста и филантропа. Мотту удалось собрать средства для учреждения Религиозно-Философской Академии в Берлине и для издания богословских книг на русском языке. Благодаря их усилиям, а также сотрудничеству других американцев, как например, Д. Лаури =I889= и П. Андерсона =I894=, русские мыслители получили возможность продолжать свою работу в атмосфере полной независимости, так как их инославные друзья предоставили им свободу как в выборе тем для их книг, так и в их трактовке.

В I925 году Религиозно-Философская Академия и ИМКА-ПРЕСС

I. Д-р. Кульманн сыграл значительную роль в религиозной и социальной жизни русской эмиграции. Он является одним из выдающихся участников того религиозно-философского пробуждения, которым ознаменовались первые десятилетия русского рассеяния. В течение I924–I929 годов д-р. Кульманн в своих статьях и лекциях знакомил Запад с русским православием и его богословами и религиозными мыслителями. С I938 до своего выхода на пенсию в I955 году он занимался юридической защитой бежнецев, как представитель международных организаций.

Его некролог был напечатан в № 70 "Нового Журнала", Н-Й., I962. Описание его деятельности находится в книге "За Рубежом", П., I973. Его статьи, доклады, письма и мемуары ожидают своего исследователя. Они хранятся в Архиве Русской и Восточно-Европейской Истории и Культуры при Колумбийском университете в Нью-Йорке. Копии этих документов находятся также в Библиотеке Дома св. Григория Нисского и св. Макрины, 1 Canterbury Road, Oxford.

были переведены из Берлина в Париж, где Академия просуществовала до начала второй мировой войны. Они сыграли большую роль в развитии богословской литературы за рубежом.

Одновременно с учреждением Религиозно-Философской Академии возникли и две других организации, на этот раз по инициативе самих русских: Русское Христианское Студенческое Движение =Р.С.Х.Д.= =I923 г.= и Богословский Институт при Сергиевском Подворье в Париже, =I925=. Студенческое Христианское Движение объединило в своих рядах два поколения, встретившися за рубежом: представителей интеллигенции, вернувшихся в Церковь накануне революции, и молодежь, только что начинавшую свою жизнь в трудных условиях эмиграции, и искавшую путей углубления в жизнь Церкви. Богословский Институт в Париже дал возможность получить высшее образование тем, кто нашел свое призвание в пасторской работе.

Большинство изданий ИМКА-ПРЕСС между двумя мировыми войнами были идейно связаны с работой Р.С.Х.Д. и Сергиевского Подворья. Они были вдохновлены верой в мировое призвание Православия, как Церкви, сохранившей полноту апостольского предания. Зарубежные богословы были убеждены, что православные могли и должны были помочь Западным христианам преодолеть их разделения и в свете Евангельского учения найти ответ на те вопросы, которые марксисты пытались разрешить при помощи диалектического материализма.

Церковные круги, группировавшиеся вокруг Синода зарубежных епископов в большинстве случаев относились или с подозрением или отрицательно и к литературе, издававшейся в Париже, и к работе как Движения, так и Института, обвиняя их в отступлении от отеческого предания. Однако сторонники этого охранительного направления, сравнительно мало внесли в зарубежную богословскую литературу.

До начала мировой войны, кроме Парижа, значительным центром русского рассеяния был Харбин с его стотысячным русским населением, школами, газетами, церквами и монастырями. Религиозная литература, издававшаяся в Харбине, обслуживала преимущественно местные нужды и редко проникала за пределы Маньчжурии, тогда как богословские и философские труды русских парижан все более и более переводились на иностранные языки, и таким образом православная мысль становилась известной как в римо-католических, так и в англиканских и протестантских кругах.

Вторая мировая война и последовавшие за нею события глубоко повлияли на судьбы русской эмиграции. Ее культурные центры в Праге и на Балканах безвозвратно исчезли.[I] Русское население Маньчжурии принуждено было покинуть свои насиженные места. Зато новая мощная волна изгнанников влилась в ряды первой эмиграции. Большинство из вновь прибывших, однако, стремились найти себе пристанище подальше от Советского Союза, и крупные сосредоточия Русского Зарубежья возникли в Соединенных Штатах, в Канаде, в Южной Америке и в Австралии. Эти перемещения отразились на религиозно-философской литературе. Те авторы, которые до войны были главными глашатаями Православия, сошли со сцены, кончились и периодические издания, возглавлявшиеся ими, зато значительно возросло печатание православной литературы на иностранных языках. Молодые русские богословы начали писать и издавать свои труды по-английски, по-немецки и по-французски. В это же время возникла и новая школа для высшего богословского образования, Св. Владимирская Семинария около Нью-Йорка, привлекшая к себе многих русских ученых.

Особое место в истории богословской литературы этого времени принадлежит Св. Троицкому монастырю в Джорданвилле в Америке, духовному центру для Синодальной русской Церкви, который, кроме новых произведений, занялся также переизданием дореволюционных книг духовного содержания.

ОСНОВНЫЕ ТЕМЫ ЗАРУБЕЖНОЙ БОГОСЛОВСКОЙ ЛИТЕРАТУРЫ.

Зарубежная богословская и религиозно-философская литература

I. См. В. Маевский, "Русские в Югославии". =I920-I945=. Н-Й. I966.

распадается на несколько отделов. Первый из них может быть назван БОГОСЛОВСКИМ. Труды этого отдела излагают православное учение о троичности Бога, о природе человека и путях его спасения, о Церкви и ее таинствах. Зарубежные богословы, будучи верными учению Церкви, старались писать на языке понятном современному человеку и принимать во внимание научные достижения нашего времени. В этом отделе по догматике больше всего писал прот. Сергий Булгаков. После второй мировой войны в этой области следует отметить труды прот. Николая Афанасьева и проф. Павла Евдокимова. В области Новозаветного богословия трудился епископ Кассиан =Безобразов=, по истории Церкви писали А. Карташев, Г. Федотов, И. Смолич, по литургике архим. Киприан =Керн=, прот. Александр Шмеман, по патрологии прот. Георгий Флоровский, В. Лосский, прот. Иоанн Мейендорф, по апологетике прот. Василий Зеньковский.

Второй отдел РЕЛИГИОЗНО-ФИЛОСОФСКИЙ. Он включает труды защищающие, в свете евангельского благовестия, ценность человеческой личности, ее свободу, творчество и моральную ответственность за свои поступки. В этой области большую известность приобрели Н. Бердяев, С. Франк, Н. Лосский, И. Ильин, Ф. Степун. К этому же отделу принадлежат социологи Н. Тимашев, Е. Спекторский, Г. Федотов и литературоведы К. Мочульский и В. Вейдле.

Третий отдел – ЭКУМЕНИЧЕСКИЙ. В первые годы своего изгнания русские богословы встретили на Западе отсутствие знания о православии. Веря в необходимость христианского единства, многие из них отдали свои силы на ознакомление Западного мира с сущностью православия. В то же время они занялись изучением причин разделений среди христиан и поисками путей для их примирения. Их труды не пропали даром. Русская зарубежная Церковь много способствовала укреплению сотрудничества и доверия среди церквей. На экуменические темы писали: Булгаков, Арсеньев, Зандер, Зернов, Шмеманн, П. Ковалевский.

Четвертый отдел – РЕЛИГИОЗНО-ПЕДАГОГИЧЕСКИЙ. Он включает пособия для преподавания православного вероучения. Следует отметить пятитомный и иллюстрированный учебник Закона Божьего –

коллективный труд I6 богословов, писателей и художников, изданный в Париже в I950-I958 гг.

Пятый отдел - КНИГИ, ОПРОВЕРГАЮЩИЕ СОВЕТСКОЕ БЕЗБОЖИЕ. В этой области работали: Н. Бердяев, В. Ильин, Б. Вышеславцев, Ф. Мельников.

Шестой отдел - ДУХОВНО-НАЗИДАТЕЛЬНЫЙ. Книги этого отдела состоят преимущественно из перепечатанных трудов дореволюционных писателей: Еп. Феофана Затворника =I8I5-I894=, Еп. Игнатия Брянчанинова =I807-I867= и о. Иоанна Кронштадского =I828-I908=. Особое место в этой литературе занимают "Откровенные рассказы Странника", впервые напечатанные в I88I г. Они были переизданы в Париже в I930 году, и сразу же получили большую известность. Они были вскоре переведены на английский, французский и немецкий языки и пользуются большой популярностью как в Европе, так и в Америке.

Среди оригинальных трудов этого отдела следует отметить "Записи" о. Александра Ельчанинова =I88I-I934= и книгу о старце Силуане =I866-I938= архим. Софрония =Сахарова=.

Седьмой отдел - АВТОБИОГРАФИЧЕСКИЙ. Воспоминания митр. Евлогия, прот. Шавельского, архиеп. Виталия, архимандрита Андроника, Ф. Степуна, автобиографические заметки прот. Булгакова, I7-томная биография митр. Антония =Храповицкого=, составленная архиеп. Никоном =Рклицким=. Особое место в этом отделе принадлежит семейной хронике Зерновых, описывающей зарубежную церковную жизнь, и состоящей из двух частей "На Переломе" и "За Рубежом".

Восьмой отдел - ПОЛЕМИЧЕСКИЙ. Книги, защищающие ту или иную юрисдикцию, на которые распалась зарубежная Церковь. На эти темы писали прот. Польский, протопресв. Георгий Граббе, Стратонов, Троицкий и другие.

Таковы те различные области богословской мысли, в которые внесли свой вклад зарубежные православные писатели.

ВВЕДЕНИЕ

ЗНАЧЕНИЕ ЗАРУБЕЖНОЙ ПРАВОСЛАВНОЙ ЛИТЕРАТУРЫ ДЛЯ РУССКОЙ КУЛЬТУРЫ И БОГОСЛОВИЯ.

Допетровская Россия умела молиться, строить храмы и писать иконы. Она создала "Бытовое благочестие" - это своебразное явление в истории человечества. Ее одухотворенная культура проникла в широкие круги народа, но, несмотря на все эти достижения, она была ущерблена в области ясной логической мысли. Богословие, в общепринятом смысле этого понятия, отсутствовало в Московской Руси. Одной из основных причин этой особенности "Допетровья" был церковно-славянский язык как Священного Писания, так и богослужения. Получив доступ к этим источникам христианского откровения в их славянских переводах, духовные руководители русского народа не имели нужды изучать ни греческий, ни латинский языки. Таким образом, тот славянский язык, с которым родилось и расцвело русское православие, косвенным путем помещал русским познакомиться с достижениями классической культуры. До восемнадцатого века они не имели доступа ни к эллинской философии, ни к римскому праву, которые оформили и дисциплинировали мысль Западной Европы. Зато тот же церковнославянский язык помог русским стать не подражателями Византии, а творцами своего благочестия. Он создал из разрозненных племен единый народ со своим миросозерцанием; благодаря ему православное богослужение сделалось для русских источником их знания как о Боге, так и о человеке, оно вдохновило их художественное творчество и обогатило духовный опыт народа.

Встреча с Западом, начавшаяся при Петре, произошла для русских в атмосфере оскудения. Московское общество было обескровлено только что случившимся старообрядческим расколом, выбросившим из его руководящих кругов наиболее ревностных представителей традиционного мировоззрения.

В результате случившегося разделения произошло резкое падение русской культуры. Петр Великий, поставивший своей целью реформировать государство на "Западный манер", требовал от своих сотрудников отречения от преданий Московской Руси. Он заставлял их идти на выучку у Европы с чувством, что они, как и их отцы, были простецы и неучи.

В течение восемнадцатого века Петербургская Империя управлялась людьми, стыдившимися своего славного прошлого. В области богословия русские принуждены были вызубривать римо-католические и протестантские катехизисы, и притом - на чуждом им латинском языке. Неудивительно, что новая учеба туго давалась им, и что наше богословие, за немногими исключениями, долгое время повторяло зады западной учености, не решаясь заговорить собственным голосом. Он зазвучал полнозвучно только в середине девятнадцатого столетия, и там, где меньше всего этого можно было ожидать. Им заговорил впервые отставной штаб-ротмистр Алексей Степанович Хомяков =1804-1860=. Его писания были настолько непохожи на официальное богословие, что он мог казаться еретиком, и его произведения, при его жизни, были напечатаны лишь за границей и по-французски. Он умер не признанный никем, кроме тесного круга своих близких друзей и единомышленников. Однако один из них, Юрий Самарин =1819-1876=, имел пророческое дерзновение назвать в печати Хомякова "Отцом Церкви", каковым он и был на самом деле. Раз прозвучав, голос русского православия уже не мог умолкнуть. До конца столетия его глашатаями были, однако, только отдельные лица, которые казались равно чуждыми как для "образованного" общества, воспитанного в духе западной культуры, так и для духовенства, обучавшегося в традициях упадочной схоластики. Одним из таких провидцев православного мировоззрения был Федор Михайлович Достоевский =1821-1881=. В форме уголовных романов он дал православные ответы на самые трудные богословские вопросы: возможно ли примирить веру в благого Бога с безвинным страданием и привлекательную силу зла с моральной ответственностью человека за свои поступки. Гениальные интуиции Достоевского получили свое философское обоснование у Владимира Сергеевича Соловьева =1853-1900=. Этот друг и ученик Достоевского подготовил то Религиозное и Культурное Возрождение, которое началось в двадцатом веке в России. Пагубный разрыв между по европейске образованными русскими и православной традицией, который расколол по-Петровскую Россию на два чуждые друг другу лагеря, стал постепенно изживаться. Антинациональная и нецерковная интеллигенция с удивлением открыла ранее ею отвергавшиеся ценности. Она залюбовалась прекрасным ликом Православной Руси, полюбила красоту церковной архитектуры, ей сделалось доступным "умозрение в красках" иконы. Все эти плоды русского исконного творчества и вдохновения перестали казаться проявлениями =преодоленного= варварства, они засияли в новом свете. В это же время произошла встреча между представителями духовенства и интеллигенции, плодотворная для обеих сторон. Созрело желание освободить Церковь от ига, наложенного на нее Петром в виде синодального управления. То, что пророчески предсказывали Достоевский и Соловьев, стало воплощаться в действительности.[I] В России вспыхнул небывалый расцвет искусства, философии и религиозной

I. Необычайная личность отца Павла Флоренского =I882-I943= явилась конкретным завершением этого чаемого примирения русской интеллигенции с православной Церковью. Трудно найти ту область научного знания или искусства, где бы он не проявил своих исключительных способностей. Он был замечательный математик, астроном, физик, биолог, талантливый электротехник, член комитета по электрофикации СССР, изобретатель, сделавший ряд открытий, "имевших народно-хозяйственное значение в государственном маштабе". =Философская Энциклопедия, Москва I970, том У, стр. 337=. Одновременно он был поэт символист, историк искусства, преподававший в московской школе живописи, музыковед, специалист по Баху и Бетховену, выдающийся лингвист, знавший кроме европейских языков, языки Кавказа, Ирана и Индии. В завершение всего он был философ, мистик и богослов.

"Этот гений не имевший подобного себе в истории России, которого можно было лишь сравнить с Леонардо де Винчи или с Паскалем" =Булгаков=, нашел свое призвание в священстве и этим он закончил долгие годы блуждания русской интеллигенции в пустыне материализма и атеизма.

Судьба Флоренского, как и всей интеллигенции, была трагична. Несмотря на все свои научные заслуги, он был арестован в I933 году. Никакие угрозы не могли заставить его снять с себя священный сан. Он был сослан на север в один из концентрационных лагерей. По слухам упавшее бревно на лесозаготовке разбило голову этого гения. Воспоминания о детстве о. Павла Флоренского были напечатаны в "Вестнике Р.С.Х.Д." № 99 и № I00 за I97I год.

мысли.[I] Но этому возрождению был нанесен сокрушительный удар установлением Ленинской диктатуры, сделавшей позитивизм и материализм девятнадцатого века единственным обязательным мировоззрением для всего населения России. Упорное стремление Ленина, Сталина и их преемников заменить марксизмом православную культуру привели к массовому уничтожению как ее носителей, так и памятников ее искусства. Только те православные мыслители, которым удалось покинуть свою родину, смогли продолжать свою творческую работу. В этом заключается исключительное значение для русской культуры религиозно-философской зарубежной литературы. Она сохранила драгоценное преемство с прошлым и углубила идеи гениальных русских учителей: Хомякова, Достоевского и Соловьева. Ее произведения содержат те духовные сокровища мысли и опыта, которые остаются недоступными русским, находящимся под властью коммунистов. Живя и трудясь вне своей отчизны, православные писатели никогда не теряли веры, что русские люди добьются права безбоязненно читать произведения своих свободолюбивых мыслителей и ученых и таким образом смогут и дальше развивать ту христианскую культуру, от которой они оказались насильственно оторванными в результате революции.

ЗНАЧЕНИЕ РУССКОЙ БОГОСЛОВСКОЙ ЛИТЕРАТУРЫ ДЛЯ ИНОСЛАВНОГО МИРА.

Первый исход русских в I9I9-I922 годах совпал с быстрым ростом Экуменического Движения, поставившего своей целью примирение разделившихся христиан. Вначале это стремление к восстановлению единства встретило отрицательное отношение со стороны Ватикана, запретившего римо-католикам принимать в нем участие. Это решение создало для Экуменического Движения опасность превратиться в организацию для объединения одних только протестантских вероисповеданий. Его руководители стали поэтому искать путей привлечения православных к участию в их работе, так как

I. См. Н. Зернов, Русское Религиозное Возрождение XX Века. П. I973.

присутствие Восточных христиан придавало ей более вселенский характер. За исключением нескольких епископов и профессоров, православные однако были мало подготовлены к сотрудничеству с инославными. Глубоко укорененное недоверие к Западным христианам, незнание иностранных языков и недостаточность образования препятствовали их пониманию значения вновь возникшего движения. Появление русских изгнанников на Западе в годы формирования экуменизма оказало решающее влияние на его развитие. Русские мыслители, воспитанные в идеях Владимира Соловьева, этого предвозвестника примирения христиан, были духовно подготовлены к экуменической работе. Благодаря высокому уровню своего образования и знанию иностранных языков они смогли занять руководящее положение в экуменических кругах. Пережив на личном опыте гонения на Церковь в России, они с особой силой чувствовали, как борьба с воинствущим атеизмом требует объединения всех христианских сил. Русские богословы внесли в экуменическое движение то православное истолкование христианства, которое помогло руководителям Западных Церквей, увидать в новом свете также и свои расхождения. Начиная с 1925 года и до начала второй мировой войны члены Экуменического Движения встречались на мировых съездах. Эти конференции происходили в Стокгольме =1925=, Лозанне =1927=, Оксфорде =1937=, Эдинбурге =1937=, Амстердаме =1939=. На всех этих собраниях на ряду с другими православными участвовали и представители Русской Церкви в изгнании, выступавшие в докладах и прениях. Они во многом содействовали успеху этих конференций и способствовали установлению взаимного доверия и уважения между Восточными и Западными христианами. Хотя русские и не были официальными делегатами, так как Церковь в самой России была лишена возможности содействовать этой работе, но все же вклад, внесенный ими был сделан не только от лица эмиграции, но и от всего русского православия. Зарубежные богословы подготовили, таким образом, почву для того более широкого участия Восточных христиан в работе Всемирного Совета Церквей, которое началось уже после окончания войны. Православное зарубежье оказало тоже влияние на пересмотр первоначального отрицательного отношения Рима и Экуменическому Движению. Этому значительно способствоваля встреча аббата Кутюрье =I881-I953= с русскими изгнанниками. Под их влиянием аббат сделался апостолом церковного примирения, выразителем того духа христианского миротворчества, который восторжествовал на Втором Ватиканском Соборе.

Таким образом, можно сказать, что русские богословы за рубежом не только открыли сокровищницу православия Западному христианству, но и отчасти помогли ему преодолеть тот внутренний антогонизм, который со времени Реформации в шестнадцатом веке делал невозможным сотрудничество между католиками и протестантами.

ЗНАЧЕНИЕ ПРАВОСЛАВНОЙ ЗАРУБЕЖНОЙ ЛИТЕРАТУРЫ ДЛЯ СОВРЕМЕННОГО ЧЕЛОВЕЧЕСТВА.

Русская революция всколыхнула весь мир. Тоталитарный коммунизм широко распространил свою власть над Европой и Азией. Вопросы, поднятые им приобрели всечеловеческое значение. Ленинизм в своей сущности есть явление религиозное. Секуляризм, популярный на Западе, чужд русским коммунистам. Ленин и его ученики обратили марксизм в религию обожествленного коллектива, они отрицают существование Бога, но обещают своим последователям "царствие божие" на земле, созданное их собственными усилиями. Утверждая независимость людей от какой-либо высшей разумной и нравственной силы, они в то же время налагают на всех иго рабства коллективу, олицетворенному непогрешимым возглавителем партии. По учению ленинистов, безусловное подчинение ему обеспечивает материальное и духовное благоденствие всем людям.

Ценность писаний зарубежных мыслителей зависит от их глубоко продуманного и на личном опыте проверенного опровержения такого утопизма. Некоторые из этих православных философов сами прошли через школу марксизма и, еще до применения его на практике Лениным и Сталиным, отвергли это мировоззрение, как ведущее к принижению человеческой личности и попранию ее свободы. Сборники "Вехи", изданные в I909 году, и "Из Глубины" =I918 г.=, при участии Струве, Бердяева, Булгакова и Франка, были пророческими описаниями той атмосферы страха, лжи и доносительства, которая позже была создана в России атеистическим коммунизмом.[I.] Однако значение трудов этих философов не органичивается критикой, их произведения доказывают необходимость творческого соборного действия для преодоления социальных недугов и нравственных противоречий человечества. Они основывают его на примате любви и свободы, а не на классовой ненависти и зависти, они признают реальность греха и трагичность раздвоенности человеческой природы, но в то же время утверждают возможность победы над ними не при помощи тюрем и "трудовых" лагерей, а путем возрождения личности. Зарубежные богословы вдохновлены христианским откровением о Боге, как творце всего сущего, и о человеке, созданном по образу и подобию Божьему и призванному к свободному и ответственному участию в познании и преображении вселенной.

Таким образом, если часть русского народа сделалась носительницей коммунизма как для себя, так и для соседних наций, то из среды того же народа вышло и опровержение этого атеистического утопизма. Не случайно то, что именно на русской почве произошло столкновение между интегральным коммунизмом и целостным христианством. В России они оба рождаются из сознания исключительной важности единства мировоззрения и связанной с этим верой в особое призвание русских людей. Москва может быть и Третьим Римом и столицей Третьего Интернационала. Русская стижия благоприятна как для роста деспотизма, так и для развития такого строя, в котором органическое единство не уничтожает личной свободы. Этот идеал нашел свое воплощение во время собирания духовных сил порабощенной татарами Руси, осуществленного преподобным Сергием Радонежским =I3I4-I392=. О нем говорит икона Св. Троицы Андрея Рублева =I370-I430=, это величайшее произведение русской искусства. Она возвещает согласие в

I. Оба эти сборника были перепечатаны за рубежом в I967 году.

любви и свободе, которое излучают ангелы, прообразы Св. Троицы. Этим же идеалом вдохновлялись гениальные провидцы девятнадцатого века: Хомяков с его учением о "Соборности", Достоевский с его "Русским Социализмом", Соловьев с его "Свободной Теократией" и Николай Федоров =1828-1903= с его "Общим Делом". Свое завершение эти священные заветы нашли в трудах христианских мыслителей русского зарубежья, примиривших в своем лице Церковь и интеллигенцию.

В настоящее время =1972 год= только один официальный голос говорит от лица русского народа. Он возвещает всем и каждому о счастливой жизни под водительство "всемогущей" и "непогрешимой" партии и неустанно славит достижения "великой социалистической революции". Красный Кремль призывает все человечество следовать по стопом Ленина, этого "величайшего гуманиста и учителя народов". Он угрожает репрессиями противникам коммунизма. Этот голос, хотя он и разносится победоносно по всему миру, не является, однако, единственным выражением чаяний русских людей. Другие голоса раздаются как из России,[1] так и из свободного зарубежья. Среди них особое место принадлежит творениям православных богословов, которые видят свое призвание не в политической борбе, а в христианском преодолении того принижения человека, которое проходит красной чертою через всю систему современной технократии, как коммунистической, так и капиталистической, поскольку они строятся на атеизме и отрицают Евангельское учение о достоинстве и равенстве всех людей. Этот христианский голос никому не угрожает, но он провозглашает свою непоколебимую веру в живительную силу подлинной свободы, любви и всепрощения.

Каждый деспотизм имеет свои сроки, и придет время, когда мысли православных философов дойдут до тех, кто в настоящее время лишен возможности познакомиться с ними. Драма русской и общехристианской культуры достигла в этом столетии своего апо-

---

1. Среди этих голосов наибольшую известность преобрели писания Надежды Мандельштам =1899= и Александр Солженицына =1918=.

гея; на долю эмиграции выпала трудная, но и славная задача сохранить и углубить те духовные ценности русского православия, которые созвучны всеобщему неутолимому стремлению к свободе и совершенству и поэтому является достоянием всего человечества.

Русская Церковь никогда не имела раньше стольких высоко образованных и даровитых писателей и творческих мыслителей, как в эпоху изгнания многих ее членов на Запад. Поэтому ее вклад в мировую христианскую культуру оказался особенно значительным именно в наше время коренных перемен в истории человечества.

Оксфорд
28 мая, 1972.

PREFACE

The aim of this bio-bibliography is to show what has been written on religious subjects by Russian emigré authors in the course of the half century 1921-1972. Only writers of Russian origin and who identify themselves with the Orthodox Church are included in this list. Literary works, books reprinted from pre-revolutionary editions and religious poetry are not mentioned in this bibliography.

Lack of space made it impossible to list articles from periodicals. At the end, however, a list is given of the major periodicals and collections with an Orthodox slant. The introduction to this bibliography, besides a short survey of the main themes discussed by the Russian theologians in exile, describes the significance of this literature for Russian culture and for the Western world.[1.]

The titles of the books are printed in the language of publication. The number of pages is mentioned as far as is possible. The places of publication are abbreviated as follows: for books published in Russian - Б. - Berlin, Бл. - Belgrade, Дж. - Jordanville, М. - Munich, Н-Й. - New York, П. - Paris, Пр. - Prague; otherwise, they are B. - Berlin, L. - London, M. - Munich, N.Y. - New York, Ox. - Oxford, P. - Paris.

Persons wishing to become familiar with other bibliographies on related themes may use the following editions: Materialy dlia bibliografii russkikh nauchnykh trudov za-rubezhom,[2.] vol. I, Belgrade, 1931; vol. II, Belgrade, 1941. Further references to this work will be abbreviated as follows: Мат. Биб.I. =I93I=, Мат.Биб. II. Бл.=I94I=. Also, the "List of the Writings of Professors of the Russian Theological Institute in Paris", ed. by Leo Zander, 1932, 1937, 1947, 1954 and 1965.

---

1. The English translation of the introduction was done some time ago by Professor Thomas Bird, who published it as an article in the periodical DIACONIA, vol. 4, No. 4, 1969 (New York). The author is grâteful to the translator and the editors of the journal for the permission to use this text.

2. E. Spektorsky and V. Davats.

PREFACE

I have received valuable help in compiling this bibliography from Prof. N. Andreev (Cambridge), The Rev. T. Bird (New York), The Very Rev. G. Grabbe (New York), Prof. N. Gorodetzky (Oxford), Prof. P. Kovalevsky (Paris), Mr. E. Kasinec (New York), The Most Rev. Archbishop Serafim (Chicago), Dr. J. Simmons (Oxford), The Rev. S. Schukin (Canada). To them and to all those people who answered my letters I express my sincere thanks, as well as to Miss Gloria Marshall, who typed the manuscript.

NOTE: In several cases blank space was left after the names of the authors in the hope of receiving further information, which, however, was not received.

I shall be most grateful for any corrections and additions which should be sent to Dr. N. Zernov, St. Gregory and St. Macrina Houses, I Canterbury Road, Oxford OX2-6LU, England.

NICOLAS ZERNOV

INTRODUCTION

The establishment of the Soviet regime in Russia caused a mass exodus of those opposed to it. Between 1919 and 1922, several hundred thousand Russians had to leave their homeland and seek refuge abroad. Later, smaller groups succeeded in joining them, until the Communists sealed off all escape routes from the territories under their control.

The majority of these exiles found asylum in the Balkans, Czechoslovakia, Germany and France. Others settled down in Manchuria, in Shanghai, and in other cities in China. The first emigration included representatives of a variety of nationalities, classes and political convictions. Among them were such well-known church figures and theologians as Metropolitan Antony Kharpovitsky (1864-1936), Metropolitan Evlogy Georgievsky (1868-1946), Metropolitan Anastasy Gribanovsky (1873-1965), Bishop (later Metropolitan) Venjamin Fedchenko (1882-1962), V. Skvortsov (1853-1934), Professor N. Glubokovsky (1863-1937), and Professor A. Dobroklonsky (1856-1937). Their presence considerably helped the organization of the Russian Church abroad.

One of the characteristics of the first Russian emigration was the founding of Orthodox parishes everywhere. Despite poverty and uncertainty about their future, the Russians began to organize church services, form choirs, and start parochial schools where the children were taught the catechism, Russian language and history. The desire to unite around the church led to the convening of a sobor (council) in Sremski Karlovtsy in Yugoslavia in the autumn of 1921. Eleven bishops, nearly 100 priests and laymen, representatives from parishes in France, Germany, Belgium, England, Italy, Czechoslovakia and the Balkans gathered there. This meeting revealed two different approaches to the establishment of ecclesiastical life abroad. Some of the members of the council thought that the church was called to assist the restoration of the monarchy in Russia. They issued a declaration in which they encouraged members of the Church to remain faithful to the Romanov dynasty. But a substantial minority was opposed to the Church's participation in political struggles, and insisted that the task of the Church in exile was to remain above party divisions. This divergence of opinion displayed at the first council of Karlovtsy, has coloured the entire subsequent history of the Russian Church abroad, which eventually became divided into three groups: a) The Synodical Church in exile, closely associated with the monarchist movement; b) The Church under the jurisdiction of the Moscow Patriarch; c) The Church which accepted the leadership of the Ecumenical Patriarch of Constantinople.

A decisive shift in the spiritual life of the emigration took place in 1922. In the autumn of that year a significant number (about 70) of professors of the Universities of Moscow and Petrograd, together with their families, were exiled to Germany. This move by the Soviet government saved many leading scholars for Russian and world culture. These were men who, instead of perishing within the walls of the secret police, were able to continue their scholarly labours in the West.

Among those exiled were several religious philosophers: Nicolas Berdyaev (1874-1948), Simeon Frank (1877-1950), Nicholas Lossky (1870-1965), V. Vysheslavtsev (1871-1954), and Ivan Ilin (1883-1954). At the beginning of 1923 Archpriest Sergy Bulgakov (1871-1944) joined them. In this way the emigration was enriched by the inclusion of Orthodox thinkers who were not only renowned in the world of European scholarship, but who recognized the necessity of counterbalancing Marxism by a carefully thought-out Christian worldview. They were inspired by the desire to share with the Western world the new spiritual experience which they had undergone, living under totalitarian Communism.

The majority of theological, philosophical and religious books published in emigration came from the pens of these exiled scholars or their immediate disciples.

At first these Russian scholars felt unwelcome and lost in Europe. At that time the idea was still popular there that the persecution of the Christians in Russia was a deserved punishment of the members of a church that had been an obedient tool of the fallen Empire. Russian Christian thinkers were dismissed as reactionaries. Gradually, however, they began to attract the attention of more prescient men. Among the latter, a young Swiss, G. G. Kullmann, (1894-1961), a secretary of the American YMCA, was one of the first to realize the importance of these outstanding men so much feared by the Communists.[1.] Kullmann enlisted the interest of John R. Mott (1865-1955), a well-known American ecumenist and philanthropist. Mott was able to raise enough money to establish a Russian Religious-Philosohical Academy in Berlin and start a publishing house for printing theological books in Russian. Thanks to their efforts and to the cooperation of other Americans such as Donald Lowrie (1889) and Paul B. Anderson (1894), it became possible for Russian theologians to continue their work in an atmosphere of independence, since their Western friends gave them full freedom in both the choice and the treatment of themes in their books and lectures.

In 1925 the Religious-Philosophical Academy and the YMCA Press were moved from Berlin to Paris, where they remained until the start of the Second World War. They played a decisive role in the development of theological literature in exile.

Concurrent with the establishment of the Religious-Philosophical Academy, two other organizations came into being, this time by the initiative of the Russians: the Russian Student Christian Movement (RSKD or RSCM) in 1923, and the Theological Institute (known as the St. Sergius Theological Academy) in 1925. The first united the two generations which met in exile: the representatives of the intelligentsia who had returned to the Church on the eve of the revolution, and the youth who had just begun a difficult life in exile, and who were seeking ways to enter the life of the Church. The Theological Institute in Paris provided an opportunity of acquiring higher education for those who found their vocation in the pastoral ministry.

---

1. Dr. Kullmann played an important role in the religious life and social fortunes of the Russian emigration. He was one of the outstanding participants of that religious and philosophical renewal which characterized the first decades of the Russian dispersion. In the course of the years spent in the work with the Russian Student Christian Movement, he helped the West to understand better Russian Orthodoxy and its theologians and religious thinkers. The second half of his active life he devoted to the political protection of refugees as a representative of the International Orgainzations.

   His obituary was published in "The New Review", No. 70, New York, 1962. A brief outline of his life can be found in the book "Za Rubezhom", Paris, 1973. His articles, letters and other relevant documents await a biographer. They are deposited in the Archives of Russian History and Culture at the Columbia University in New York. Their copies can also be found in the library of St. Gregory House, 1 Canterbury Road, Oxford, England.

INTRODUCTION

Most of the YMCA's publications between the two world wars were ideologically related to the work of the RSCM and the Academy of St. Sergius. They were inspired by faith in the world-wide calling of Orthodoxy as the church which had retained the fullness of the teachings of the Apostles. The theologians in exile were certain that Orthodox believers could and should help Western Christians to overcome their divisions and find an answer in the light of the Gospel's teachings to those questions which the Marxists attempted to answer by means of dialectical materialism.

The church groups which were associated with Metropolitan Antony and the Synod of Bishops abroad often reacted negatively to the literature published in Paris, and to the work of the RSCM and the Theological Institute, accusing them of deserting the established tradition of Orthodoxy. However, the adherents of the conservative approach contributed relatively little to theological literature in exile.

Until the outbreak of World War II, the most important center of the Russian emigration after Paris was Harbin, with a Russian population of 100,000 and a network of schools, newspapers, churches and monasteries. Religious literature published in Harbin served local needs for the most part, and seldom penetrated beyond the borders of Manchuria; whereas the theological and philosophical works of the Russian colony in Paris were with increasing frequency translated into Western languages; and in this way Orthodox thought became familiar in both Roman Catholic and Protestant circles.

The Second World War and subsequent events profoundly influenced the fate of the Russian emigrés. Their cultural centers in Prague and the Balkans disappeared. The Russian population of Manchuria was forced to leave. At the same time a strong new wave of emigrants joined the ranks of the first emigration. Most of those who made up this second wave, however, tried to find shelter further from the Soviet Union, and the largest centers of Russian emigration developed in the United States, Canada, South America and Australia. These shifts in the pattern of emigré settlements were mirrored in religious and philosophical literature. Those writers who before the war had been the main voices of Orthodoxy were no longer alive, and the periodicals which they had directed came to an end. The publication of Orthodox literature in foreign languages, on the other hand, increased greatly. Young Russian theologians began to write and publish their works in English, French and German. At this time a new school for higher theological education appeared: St. Vladimir's Seminary in New York. With the appointment of Father Alexander Schmemann as dean, this school began to attrach a number of outstanding Orthodox scholars.

A special place in the history of theological literature of this period belongs to the Holy Trinity Monastery in Jordanville, New York, the spiritual center of the Russian Synodical Church in exile. In addition to publishing new works, it has also reprinted pre-revolutionary works of a religious character, such as the Philokalia, The Ladder of St. John Climacus, Unseen Warfare, The Kievan Paterikon, as well as the writings of Father John of Kronatadt (1828-1908), Bishop Ignatius Brianchaninov (1807-1867), and the monks of Optina Hermitage.

MAIN THEMES OF EMIGRÉ THEOLOGICAL LITERATURE.

1. THEOLOGY. The theological works of the Russians in exile include Doctrine, New Testament Theology and Church History. These works are characterized by the desire of their authors to remain within the tradition of Eastern Orthodoxy, and at the same time to incorporate in the exposition of Christianity the results of Western scholarship.

Father Sergy Bulgakov occupies a pre-eminent place among writers on doctrinal subjects. An important contribution to the study of the nature of the Church was made by Nicholas Afanassiev. In the post-war period, the writings of Paul Evdokimov became well known. Bishop Cassian Bezobrazov worked in the field of New Testament theology; Anton Kartashev, George Fedotov, Igor Smolitsch and Nicolas Zernov worked in Church history. Archimandrite Cyprian Kern and Archpriest Alexander Schmemann studied liturgy; Archpriest George Florovsky, Vladimir Lossky and Archpriest John Meyendorff wrote on patristics, while Archpriest Basil Zenkovsky did research in apologetics.

2. RELIGIOUS-PHILOSOPHICAL THOUGHT. This includes works which defend the value of man's individuality, creativity and freedom in the light of the Christian Gospel. In this field of work, fame has been achieved by Nicolas Berdyaev, Simeon Frank, N. Lossky, I. Ilin, and Fedor Stepun. The following Christian sociologists also belong to this field: Nicholas Timasheff, Nicholas Alexeev, Eugene Spektorsky, and the literary critics Vladimir Weidle and

Konstantin Mochulsky.

3. ECUMENISM. During the first years of their exile, Russian theologians encountered a lack of knowledge of Orthodoxy in the West. Convinced of the necessity of Christian unity, many of them devoted themselves to familiarizing the Western world with the essence of Orthodoxy. They studied the reasons for the schisms among Christians and sought ways to unify Christendom. Their work has not been in vain. The Russian Orthodox Church abroad has done much to strengthen co-operation and trust among the churches. Some of those who have written on ecumenical topics are Sergy Bulgakov, Nicholas Arseniev, Leo Zander, Nicolas Zernov, Alexander Schmemann and Peter Kovalevsky.

4. RELIGIOUS PEDAGOGY. This includes various ways of teaching the Orthodox faith. It is important to notice the five-volume illustrated Cathechism, the collective effort of sixteen theologians, writers and artists, which was published in Paris between 1950-1958.

5. REFUTATION OF SOVIET ATHEISM. Among those who worked in this field were Nicolas Berdyaev, Vladimir Ilin, F. Melnikov and Boris Vysheslavtsev.

6. SPIRITUAL EDIFICATION. Books in this category consist mainly of reprinted works of such pre-Revolutionary writers as Bishop Feofan Zatvornik (1815-1894), Bishop Ignatius Brianchaninov, and Father John of Kronstadt. The Way of a Pilgrim, first published in 1881, holds an important place in this category. It was published in Paris in 1930 and immediately achieved wide recognition. In more recent times it has been translated into English, French and German, and it is very popular throughout Europe and in America.

Among the original works of this type, Father Elchaninov's (1881-1934) The Diary of a Russian Priest (London, 1967) and Archimandrite Sofrony Sakharov's biography of the Starets Silouan (1866-1938), The Undistorted Image, must be mentioned.

7. AUTOBIOGRAPHIES include the memoirs of Metropolitan Evlogy, Archpriest Shavelsky, Archbishop Vitaly, Archimandrite Andronik Elpedinsky, F. Stepun, the autobiographical notes of Archpriest Bulgakov, the seventeen-volume biography of Metropolitan Antony Khrapovitsky, edited by Archbishop Nikon Rklitsky. A special place in this section belongs to the chronicle of the Zernov

family, describing church life in emigration. Na Perelome and Za Rubezhom.

8. POLEMICS - books which defend one or another of the jurisdictions into which the emigré church has become divided. The following have written works of this kind: Archpriest Michael Polsky, Archpriest George Grabbe, I. Stratonov and Sergey Troitsky.

Such are the various divisions of theological thought to which the exiled Orthodox writers of Russia have added their contribution.

THE SIGNIFICANCE OF EMIGRÉ ORTHODOX LITERATURE FOR RUSSIAN CULTURE.

Pre-Petrine Russia knew how to pray, build churches and paint icons. It created a ritual of devout daily life (bytovoe blagochestie), an original attempt to implement Church teaching in the domestic life of its members. Its spiritually inspired culture and penetrated the population deeply, but despite all these accomplishments, it was defective in the realm of clear, logical thought. Theology - in the generally accepted sense of the term - was lacking in Muscovite Rus'. One of the main reasons for this was the Church Slavonic used for the Holy Scriptures and the Liturgy.[1] Having received access to the sources of Christian revelation in Slavonic translations, the spiritual leaders of the Russian people did not feel the need to learn Greek and Latin. In this way the Slavonic language with which Russian Orthodoxy was born and raised deterred the Russians - if only in an indirect fashion - from becoming familiar with the achievements of classical culture. Until the eighteenth century, Russians did not have access to Hellenic philosophy or to Roman law, both of which formed and disciplined the thinking of Western Europe. On the other hand, the Slavonic language helped the Russians to become the authors of their own form of culture. The Orthodox Liturgy became for them the source of their knowledge of God and man, inspired their artistic creativity and enriched the spiritual experience of the people.

The dramatic encounter with the West occurred under Peter the Great. It took place in an atmosphere of impoverishment in Russia - Moscow society was still shaken by the Old Believer's recent schism, which had ejected from its

---

1. N. Zernov: The Russians and their Church. London, S.P.C.K. 1968.

leading circles the most zealous representatives of the traditional world-view.

The result of this catastrophe was the abrupt decline of Russian original culture. Peter the Great, having taken as his aim the reformation of the government according to Western models, demanded that his followers renounce the traditions of Muscovite Rus'. He forced them to go to Europe for their education, creating a strong inferiority complex among the Russian upper classes, who began to look upon their fathers and forefathers as uncouth barbarians.

In the course of the eighteenth century the Russian Empire with its capital at St. Petersburg was ruled by an aristocracy who were ashamed of their famous past. In the field of theology the Russians were forced to memorize Roman Catholic and Protestant catechisms, and to do it <u>in Latin</u> - a language hitherto unfamiliar and alien to them. It is not surprising that the new learning was difficult for them and that their theology, with few exceptions, for a long time imitated the decadent type of the Western theology of the 17th century, not daring to speak with its own voice. It sounded again only in the mid-nineteenth century, and even then from a source one would hardly have expected. One of the first authentic spokesmen of Russian Orthodoxy was a retired cavalry captain, Alexey Stepanovich Khomiakov (1804-1860).[1.] His writing was so unlike official theology that he was suspected of being a heretic, and during his lifetime his works could only be printed outside Russia; he died unacknowledged by any except the close-knit circle of friends who shared his views. One of them, Yury Samarin (1819-1876), had the prophetic courage to call Khomiakov a "Father of the Church" in print. Having once sounded, the voice of Russian Orthodoxy could not be stilled. Until the end of the century its speakers were nonetheless mostly individuals who seemed alien to the clergy brought up in theological seminaries and academies. One such proponent of an Orthodox world-view was Fedor Mikhailovich Dostoevsky (1821-1881). In the form of novels he gave Orthodoxy's answers to the most difficult theological questions - the possibility of reconciling belief in a God of love with innocent suffering, and the attractive force of evil with moral responsibility. The intuitions of Dostoevsky's genius had their philosophical foundation in the works of Vladimir Sergeyevich Solovyov (1853-1900).

---

1. Khomiakov. The Church is one. L. 1968.

INTRODUCTION

This friend of Dostoevsky's prepared the ground for that religious and cultural renaissance which began in Russia in the twentieth century. The fatal schism between Russians educated in the European manner and the Orthodox tradition which split post-Petrine Russia into two camps gradually began to be overcome. The anti-national and anti-Church intelligentsia discovered to their surprise values they had previously rejected. They fell in love with the beautiful world of Orthodox Rus'; her church architecture and her icons, as well as the other fruits of Orthodox Russian culture became accessible to them. At this time an encounter took place between the representatives of the clergy and the intelligentsia which was beneficial to both sides.[1.] The desire ripened to free the Church from the yoke of the Synodal Administration imposed on it by Peter. The prophecies of Dostoyevsky and Solovyov began to be realized. A hitherto unknown growth of art, philosophy and religious thought began in Russia.[2.]

---

1. N. Zernov: The Russian Religious Renaissance of the Twentieth Century, London, 1963.

2. The extraordinary personality of Father Pavel Florensky (1882-1943) appeared as the epitome of this hoped-for reconciliation of the Russian intelligentsia with the Orthodox Church. It is hard to find a sphere of art or science in which his exceptional talents were not revealed. He was an outstanding mathematician, astronomer, physicist, biologist, a talented electro-technician, a member of the committee for the electrification of the U.S.S.R., an inventor who made a series of discoveries of "economic significance on a state scale". (Filosofskaya Entsiklopedia, Moscow, 1970, vol. V, pp. 337.) At the same time he was a symbolist poet, an art historian, teaching at the Moscow School of Painting, a musicologist, a specialist on Bach and Beethoven, an outstanding linguist with a command, apart from European languages, of the languages of the Caucasus, Iran and India. To crown all this, he was a philosopher, mystic and theologian.

   "This genius unequalled in the history of Russia, and comparable only with Leonardo da Vinci or Pascal" (Bulgakov) found his vocation as a priest, and as such he ended the Russian intelligentsia's long years of erring in the desert of materialism and atheism.

   The fate of Florensky, as of the intelligentsia as a whole, was tragic. Despite his merits as a scientist, he was arrested in 1933. All threats were futile in trying to force him to renounce his priestly status. He was banished to one of the concentration camps in the north. Rumour has it that he was felling timber, when a falling log smashed this genius' skull. Reminiscences of the childhood of Father Pavel Florensky were published in "Vestnik R.S.K.D", Nos. 99 and 100 (1971).

But this renaissance suffered a fatal blow at the hands of the Leninist dictatorship which offered the archaic positivism and materialism of the nineteenth century as the only acceptable world-view for the entire population of Russia. The hatred which Lenin and Stalin and their successors had for Orthodox culture brought about a mass extermination of the cultured classes in Russia, and the destruction of the art treasures which represented her traditional Orthodox culture. Only those Orthodox thinkers who were able to leave their homeland could continue their creative work. Here is the ultimate significance of emigré religious and philosophical literature for Russian culture: it maintained the vital links with the past and deepened the brilliant ideas of teachers such as Khomiakov, Dostoevsky and Solovyov. It preserved that spiritual essence of ideas and thoughts which even today remain inaccessible to Russians within the Communist orbit. While living and working outside their homeland, Orthodox writers have never lost their belief that the Russian people would one day achieve the right to read without fear the works of their thinkers and scholars who cherished freedom, and so enjoy again that Christian culture from which they had been torn away by the revolution.

SIGNIFICANCE OF RUSSIAN EMIGRÉ LITERATURE FOR OTHER CHRISTIANS.

The first Russian emigration of 1919-1922 coincided with the start of the Ecumenical Movement, whose goal was the re-integration of the Christian church. Initially this movement met with disapproval from the Vatican, which forbade Roman Catholics to participate in it. This decision created a danger that the Ecumenical Movement would be concerned only with Protestant unity. Its leaders, therefore, began to seek ways of attracting Orthodox participation, feeling that Eastern Christian involvement would lend it a more authentically ecumenical character. With the exception of a few bishops and professors, mostly Greeks, the Orthodox were little prepared for co-operation with the heterodox. A deep, inbred mistrust of Western Christians, ignorance of Western European languages and lack of adequate education hampered their understanding of the new movement. The appearance of the Russian emigrés in the West during the formative years of ecumenism had a decisive influence on its development. Russian thinkers, influenced by the ideas of Vladimir Solovyov, advocating the unity of the Christian Church, were spiritually prepared for ecumenical work. Thanks to their high level of education and their knowledge of foreign languages, they were able to take leading parts in ecumenical discussions. Having personal experience of the persecution of the church in Russia, they understood that the fight against militant atheism required the coordination of Christian strength. Russian theologians brought to the Ecumenical Movement an Orthodox interpretation of Christianity which helped the leaders of the Western churches to see their differences in a new light. From 1925 until the outbreak of World War II the members of the Ecumenical Movement met at world congresses. These conferences took place in Stockholm (1925), Lausanne (1927), Oxford (1937), Edinburgh (1937) and Amsterdam (1939). At all these meetings side by side with other Orthodox, the representatives of the Russian Church in emigration took part in both discussions and panels. In many respects they were responsible for the success of these conferences and helped create an atmosphere of respect and trust between Eastern and Western Christians. Although the Russians were not official delegates (since the Church of Russia was not allowed by the Communists to participate), their contribution was made in the name of the absent Russian Church, and this was recognized by the members of these ecumenical meetings. In this way, Russian emigré theologians prepared the basis for a wider participation by Eastern Christians in the work of the World Council of Churches, which began after the war. Emigré Orthodoxy also appeared to assist the changing of Rome's initially negative attitude to the Ecumenical Movement. The meeting of Abbé Paul Couturier (1881-1953) with Russian emigrés was a milestone in this respect. Under its impact the abbé became a dedicated worker for church unity and an advocate of the spirit and outlook which prevailed at the second Vatican Council. Thus it can be said that Russian theologians in emigration not only made the essence of Orthodoxy accessible to Western Christianity, but also that they contributed to the overcoming of the antagonism which, from the time of the Reformation, had made co-operation between Protestants and Catholics so difficult.

THE SIGNIFICANCE OF RUSSIAN ORTHODOX THOUGHT FOR CONTEMPORARY MANKIND.

The Russian Revolution shook the entire world. Totalitarian Communism spread its influence and power widely over Europe and throughout Asia. Questions raised by Leninism took on importance for all mankind. Leninism is essentially a religious phenomenon. Secularism, popular in the West, is alien to Russian Communism. Lenin and his disciples changed Marxism into a religion of the deified collective, and while rejecting the existence of God, promised their followers "God's Kingdom on Earth" to be created by their own efforts. Leninists assert Man's independence of any kind of intellectual or moral force superior to his own, but at the same time impose on men the yoke of collectivized slavery, personified in the First Secretary of the Party. According to Leninism, unconditional adherence to its teaching assures material and spiritual prosperity to all people.

The value of the works of these emigré Orthodox thinkers lies in their refutation - the fruit of serious consideration and personal experience - of the utopianism preached by the Leninists. Some of these Orthodox philosophers passed through the Marxist school themselves, and rejected that outlook on the grounds that it led to the denigration of the individual and consequent loss of freedom. The anthologies Vekhi (Signposts), 1909, and Iz Glubiny (De Profundis), published in 1918 with the collaboration of Berdyaev, Bulgakov, Frank and Struve, were prophetic statements about the atmosphere of fear, lies and denunciation created by atheistic communism in Russia. However, the importance of these philosophers' work is not limited to their criticism of Leninism; their writings also contain a positive programme for overcoming social ills and moral contradictions inherent in man. This programme is based on the primacy of love and freedom over class hatred and envy; it admits the tragedy of the duality in man and the reality of sin, but at the same time asserts the possibility of triumphing over them, not by means of prison and hard labour camps, but through a revival of personality based on belief in the divine image reflected in each man. The Russian Church has never had so many outstanding creative theologians and religious philosophers as in the epoch when so many of its leading members were exiled to the West. Their contribution to world culture, therefore, has been of special significance at this time of far-reaching change in the history of mankind.

Thus, as one part of the Russian people became the bearers of Communism, another segment came to be the antithesis of this atheistic utopianism. It is not by chance that Russian soil was the arena where integral Communism and integral Christianity clashed. Both spring from recognizing the necessity of unity of outlook. Moscow can be both the Third Rome[1] and the capital of the

---

1. N. Zernov. Moscow the Third Rome. L. 1944.

Third International. The Russians are susceptible to the growth of despotism in their midst as well as to the development of a system in which organic unity does not endanger individual freedom. This ideal found its embodiment in the gathering of spiritual strength in a Rus' enslaved by the Tartars, and was personified in St. Sergius of Radonezh (1314-1392). The icon of the Holy Trinity by Andrey Rublyov (1370-1430), that masterpiece of Russian art, testifies to this. It shows the artist's vision of the possibility of accord in love and freedom, reflecting the perfect unity of the Holy Trinity. It was this ideal that inspired the Russian leaders of genius in the nineteenth century - Khomiakov and his teachings on "sobornost", Dostoevsky and his "Russian Socialism", Solovyov and his "Free Theocracy", and Nicholas Fyodorov (1828-1903) and his "Common Task". These sacred precepts found a place in the works of the Russian emigré thinkers in whom the tradition of the Orthodox Church and the liberal aspirations of the intelligentsia have been reconciled.

At the present time there is only one official voice of the Russian people. It proclaims to everyone the happiness of life under the leadership of the all-powerful and "infallible" Party, and never ceases glorifying the achievements of the "Great Socialist Revolution". The Kremlin invites the whole of mankind to follow in the footsteps of Lenin, that "great teacher of the peoples". It threatens the opponents of Communism with severe punishments. Although this voice sounds triumphantly throughout the entire world, it does not appear to be the only expression of the hopes of the Russian people. Other voices are beginning to be heard from Russia, like that of the writer Solzhenitsyn (b. 1918). The emigré leaders have a special place in this opposition, for they bought their freedom by choosing exile. Among them the voices of the religious thinkers are of considerable importance. These are the voices of men who see hope for a better future for mankind not in submission to totalitarianism but in the revival of the Evangelical teachings. This Christian voice threatens no one, but declares its unshakable belief in the living force of genuine freedom, love and forgiveness.

Every despotism runs its course, and there will come a time when the thoughts of Orthodoxy's philosophers will reach those who have no access to them at present. The drama of Russian Christian culture has reached its apogee in this century. The fate of the emigrés has been to assume the arduous but glorious task of preserving and deepening the spiritual values of Russian Orthodoxy in a period of trial and tension.

Oxford
28-V-1972.

БИО-БИБЛИОГРАФИЧЕСКИЙ СПИСОК АВТОРОВ

(Bio - Biographical)
(List of Authors)

RUSSIAN EMIGRÉ AUTHORS

АВЕРКИЙ. Архиепископ Сиракузско-Троицкий. =А. П. Таушев=. =I906=.

Родился I9 октября в Казани. Покинул Россию в I920 г. Окончил в I930 г. богословский факультет Софийского университета. Пострижен и рукоположен в I93I г. С I932 по I940 вел просветительную работу в Подкарпатской Руси. С I940 по I944 был приходским священником в Белграде, а до I95I г. в Мюнхене, с I95I г. преподавателем в Свято-Троицкой семинарии в Джорданвилле. Посвящен в епископы =I953=. С I960 является настоятелем обители и ректором семинарии.

Дух современности и дух Христов. =Б.Д.= стр. I5.
Мысли о. Иоанна Кронштадского о Церкви. М. I947.
Преподобный Серафим Саровский. I949.
Россия-Дом Пресвятой Богородицы. Дж. I954.
Руководство к изучению Четвероевангелия. Дж. I954. стр. 354.
Руководство к изучению Апостола. Дж. I956. стр. 454.
Руководство к изучению св. писания. Дж. I957.
Св. Марк Ефесский. Дж. I964.
Провозвестник кары русскому народу. =Еп. Феофан Затворник.= Дж. I964.
Истинное православие и современный мир. Дж. I97I. стр. 309.

АЛЕКСАНДР. Епископ Зилонский. =Семенов Тян-Шанский, Александр Дмитриевич=. =I890=.

Родился 7 октября в Петербурге. Внук знаменитого исследователя Средней Азии Петра Петровича Семенова Тян-Шанского =I827-I9I4=. Окончил Петербургский университет в I9I4 г. Участвовал в войне. Переехал во Францию в I925 г. Окончил Богословский Институт в Париже в I942 г. Рукоположен в I943 г. Настоятель прихода в Париже. Посвящен в епископы в I97I г. Участник экуменического движения, много потрудившийся в деле духовного окормления молодежи.

АЛЕКСАНДР. Епископ Зилонский. =прод.=

О. Иоанн Кронштадский. Н-Й. 1955. стр. 380.
Cathéchisme Orthodoxe. (Pour adultes.) P. 1961. 152 pp.
Пути Христовы. П. 1970. стр. 297.

АЛЕКСЕЕВ, Василий Иванович. =1906=.

Родился во Владимире 6 октября. Окончил Московский университет в 1930 г. Покинул Россию во время второй мировой войны =1944=. В Америке с 1951 г. Профессор русской литературы в Миннесота, Америка.

Невидимая Россия. Н-Й. 1952. стр. 405.
Россия солдатская. Н-Й. 1954. стр. 3437
Russian Orthodox Bishops in the Soviet Union, 1941-1953. New York. 1954. pp. 162.
The Foreign Policy of the Moscow Patriarchate (1939-1953). New York. 1955. pp. 238.
The two Russian Revolutions of 1917. Minneapolis. 1962. pp. 61.
The Russian Orthodox Church under German Occupation. Ph.D. Thesis. Minneapolis, Minnesota. 1967. 348 pp.

АЛЕКСЕЕВ, Николай Николаевич. =1879-1964=.

Родился в Москве. Исключен из Московского университета за революционную деятельность =1902=. Учился в Дрездене. Вернулся в Россию в 1905. Окончил университет в 1906 г. Получил заграничную командировку для подготовки к профессуре, =Берлин. Гейдельберг. Париж.= =1908-10=. Профессор права Московского университета =1912-17=. Стоял во главе снабжения русской армии в Урмии =1916-1917=, участвовал в избирательной кампании для выборов в Учредительное Собрание. =См. Архив Русской Революции, № 7, Берлин.= Инспектор Русской Школы в

АЛЕКСЕЕВ, Николай Николаевич. =прод.=

Константинополе, 1921. Профессор права в Праге и Берлине =1922-31=. Профессор в Страсбурге =1931-40=. Профессор в Белграде, =1940-48=, и в Женеве с 1948 г. Умер в Женеве. Участник Экуменического Движения.

Основы философии Права. Пр. 1924.
На путях к будущей России. П. 1927. стр. 76.
Собственность и социализм. П. 1928. стр. 82.
Религия, Право и Нравственность. П. 1930. стр. 106.
Теория Государства. 1931. стр. 188.
Пути и судьбы марксизма. П. 1936.
Куда идти. =К вопросу о новой сов. конституции.= Б. 1937. стр. 44.
Идея государства. Н.И. 1954. стр. 412.
Мир и душа. 1953. стр. 160.
Для списка статей см. Мат. Биб. I. Бл. =1931=.

АМВРОСИЙ. Архимандрит. Погодин Алексей. = ? =.

В 1944 г. окончил богословский факультет Белградского университета. В 1951 г. принял монашество и стал иеромонахом. Настоятельствовал в разных странах Европы и в Австралии.

Св. Марк Ефесский и Флорентийская Уния. Дж. 1963.

АМЕТИСТОВ, Тихон Александрович. =1884?-1941=.

Окончил Петербургскую Духовную Академию и Академию Генерального Штаба. Покинул Россию в 1920 г. Секретарь Епархиального управления в Париже при митрополите Евлогии. Умер в Париже 28 декабря.

BIOGRAPHICAL INDEX AND BIBLIOGRAPHY

АМЕТИСТОВ, Тихон Александрович. =прод.=

Каноническое положение Православной Русской Церкви за границей. П. 1927. стр. 96.

АНАСТАСИЙ. Митрополит. =Грибановский Александр Александрович=. =1873-1965=.

Сын священника, родился 6 августа в Тамбовской губернии. Окончил Московскую Духовную Академию, =1897=. Постригся в монахи в Тамбове в 1898 г. Ректор Московской Семинарии =1901=, епископ Серпуховский =1906=, Холмский =1914=, архиепископ Кишеневский =1916=. Покинул Россию в 1919 г. Сперва опекал русскую Церковь в Константинополе, с 1924 по 1935 возглавлял русскую миссию в Палестине. С 1936 стоял во главе Русской Зарубежной Церкви =Синодальной= в сане митрополита. В 1950 г. переехал в Нью-Йорк, где и умер.

Священной памяти Великой Княгини Елизаветы Феодоровны. Иерусалим. 1925. стр. 24.

Беседы с собственным сердцем. Бл. 1935. стр. 170. Дж. 1948. стр. 150.

Сборник избранных сочинений. Дж. 1948. стр. 396.

Нравственный облик Пушкина. Дж. 1949. стр. 24.

Пушкин и его отношение к религии и православной Церкви. М. стр. 63.

Архипастырские послания, слова и речи. Юбилейный сборник 50-ти летия архиерейского служения. Дж. 1956. стр. 262.

АНДРЕЕВ, Николай Ефремович. =1908=.

Родился 13 марта в Петербурге. Окончил среднее образование в Таллине в Эстонии в 1927 г. Высшее образование получил в Праге, где учился в Карловом университете и в различных рус-

АНДРЕЕВ, Николай Ефремович. =прод.=

ских учебных заведениях по сравнительной словянской филологии, по литературе и истории. Доктор Философии =I933=. С I928 начал работать при Кондаковском Институте. В I938 был назначен секретарем Института, а с I939 по I945 исполнял должность его директора. Арестованный советской властью при занятии Красной Армией Праги провел три года в тюрьмах, но был выпущен по отсутствию состава преступления. С I948 г. преподает в Кембридже.

Studies in Moscovy Western Influence and Byzantine Inheritance. L. 1970.

АНДРЕЕВ. =псевдоним Ивана Михайловича Андреевского=. =I894=.

Родился в Петербурге. Окончил историко-филологический факультет Петербургского университета, психо-неврологический институт и богословский институт. Покинул Россию во время второй мировой войны. Профессор нравственного богословия и русской литературы в св. Троицкой семинарии в Джорданвилле.

Катакомбная Церковь в советской России. I947.
Благодатна-ли советская Церковь? Дж. I948. стр. 22.
Икона всех святых в земле российской просиявших. М. I948. стр. 80.
Положение Церкви в советской России. Н-Й. I95I.
Краткий Обзор истории русской Церкви от революции до наших дней. Н-Й. I952. стр. I80.
Краткий конспект лекций по психологии. Дж. I960. стр. 45.
Православно-христианское нравственное богословие. Дж. I966. стр. I48.

АНДРОНИК. Архимандрит. =Ельпидинский=. =I894-I958=.

BIOGRAPHICAL INDEX AND BIBLIOGRAPHY

АНДРОНИК. Архимандрит. =Ельпидинский=. =прод.=

Родился 3 ноября в Петрозаводске в семье священника. Окончил Петрозаводскую семинарию. Поступил добровольцем в Армию в I9I4 г. Покинул Россию в I920 г. Переехал во Францию в I923. Участвовал в Рус. Студ. Христ. Движении. Окончил Богословский Институт в Париже. Принял монашество 3.II.I925 и посвящен в иеромонаха. Был приходским священником во Франции до I93I г., уехал в Южную Индию, где I8 лет работал миссионером, помогая Православной Церкви Траванкора. В I949 г. переехал в Соединенные Штаты, где и умер.

Восемнадцать лет в Индии. Буэнос-Айрес, I959. стр. 357.

АНДРОНИКОВ. Константин Есеевич, Князь. =I9I6=.

Родился I6 июля в Петрограде. Покинул Россию в I920 г. Окончил Сорбонну в I94I и Православный Богословский институт в I944. Главный переводчик при французском минестерстве Иностранных Дел. Перевел на французский язык богословские труды о. Сергия Булгакова.

Le sens des fêtes. P. 1970. 309 pp.
Les Notes apologétiques. =Гот. к печати.=

АНИЧКОВ. Евгений Васильевич. =I86I-I938=.

Преподавал в Петербургском университете. Профессор университета в Скоплье. Статьи по литературе, фольклору и религии.

Новая русская поэзия. Б. I923. стр. I42. 2-ое изд. I972.
Мат. Биб. I. Бл. =I93I=. Мат. Биб. II. Бл. =I94I=.

АНТОНИЙ. Митрополит Киевский и Галицкий. =Алексей Павлович Храповицкий=. =I863-I936=.

АНТОНИЙ. Алексей Павлович Храповицкий=. =прод.=

Родился I7 марта. Сын помещика Новгородской губернии. Окончил Петербургскую Духовную Академию и в том же году постригся в монашество =I885=. Ректор Московской Духовной Академии, =I890-94=. Ректор Казанской Академии, =I894-I900=. Епископ Уфимский =I900-02=, Волынский =I902-I4=, архиепископ Харьковский =I9I4-I7=. Митрополит Киевский =I9I7=. Один из трех кандидатов на избрание в патриархи на Соборе I9I7-I9I8 г. Покинул Россию в I920 г. Возглавлял Русскую Зарубежную Церковь =Синодальную= =I92I-I936=. Умер 8 августа в Белграде.

Десятитомная его биография составлена арх. Никоном. =Рклицким= Н-Й. I956-I963.
Беседа православного с униатом. Срем. Карлов. I922.
Словарь к творениям Достоевского. София. I92I. стр. I84.
Христос Спаситель в еврейская революция. Бл. I922. стр. 60.
Опыт христианского православного катехизиса. Срем. Карловцы. I924. стр. I47.
Догмат искупления. Срем. Карловцы. I926. стр. 60.
Учение Церкви о Святом Духе. П. I926. стр. 60.
Исповедь. Варшава. I928. стр. 98.
Творения ап. Иоанна Богослова. Варшава. I928.
Пушкин, как православный христианин. Бл. I929.
Пособие к молитве. Новый Сад. I930.
Новый подход к Ренану. Новый Сад. I930.
Наш русский православный патриарх. Бл. I923.
Примирение. Новый Сад. I923.
Краткое пояснение допущенных видоизменений в опытном катехизисе. Срем. Кар. I925.
Мольба ко всем Церквам православным. Нов. Сад. I929. Румын. и фран. пер.
Православие и шовинизм. Нов. Сад. I930.
Избранные сочинения. Бл. I935.
Мысли митр. Антония, записанные П.С.Лопухиным. Срем. Карл. I937. стр. 68. Н-Й. I96I.

АНТОНИЙ. =Алексей Павлович Храповицкий=. =прод.=

Нравственная идея православных догматов. Н-Й. 1963. стр. 236.
Достоевский, как проповедник возрождения. Н-Й. 1965. стр. 307.
Учение о пастыре и об исповеди. Н-Й. 1966. стр. 406.
Нравственное учение православной Церкви. Н-Й. 1967. стр. 423.
Слова, беседы и речи. Н-Й. 1968. стр. 553.
Согласование евангельских сказаний о воскресении Христовом. Н-Й. 1969. стр. 346.
Новый опыт учения о Богопознании. Н-Й. 1969. стр. 88.

Для статей см. Мат. Биб. I. Бл. =1931=.

АНТОНИЙ. Митрополит Сурожский. =Андрей Борисович Блум=. =1914=.

Родился 19 июня в Лозанне. Сын дипломата. Провел год в России. С 1915 г. жил в Персии. Переехал во Францию, где окончил Медицинский факультет в Париже в 1943 г. В том же году принял монашество. Занимался медицинской практикой, участвовал в работе с молодежью. В 1948 г. рукоположен в священники, в 1949 г. переехал в Лондон, где сначала работал с Содружеством св. Албания и преп. Сергия, а с 1950 г. был настоятелем прихода. 30 ноября 1958 г. посвящен в сан епископа. 7 февраля 1966 г. возведен в сан митрополита и назначен Экзархом Московского Патриарха для Западной Европы.

Technique et Contemplation. Extrait des Etudes Carmelitraines. 1949.
Ascetism. (Published by the Guide of Pastoral psychology.) London. 1957.
Living Prayer. L. 1966. p. 125.
School for prayer. L. 1970. p. 75.
God a man. L. 1971. p. 127.
Meditations on a Theme. L. 1972. p. 125.

АНТОНИЙ. Схимонах. =Александр Сергеевич Кузнецов=. =1898-1964=.

Родился в Нижнем Новгороде. Покинул Россию вскоре после окончания гражданской войны. Сначала жил в Константинополе. В 1925 году постригся в Монастыре Св. Саввы в Палестине. В 1938 он принял схиму. Скончался в своей обители 27 февраля.

Монах Антоний Савайт. Жизнеописание и Письма. П. 1965. стр. 60.

АНЦИФЕРОВ, Алексей Николаевич. =1867-1943=.

Профессор политической экономии и статистики в Харькове. Член парижской академической группы. Многочисленные статьи по экономическим и религиозным вопросам.

Мат. Биб. I. Бл. =1931=. Мат. Биб. II. Бл. =1941=.

АНЦИФЕРОВ, Василий Иванович. Протоиерей. =1883- ? =

Родился в Одессе 27 декабря. Сын судового механика. Учился в Киевском Политехникуме. Не смог его окончить из-за Русско-Японской войны. По окончании ее служил в Ялтинской городской управе. Участвовал в войне 1914-1918 гг. После большевистского переворота уехал в Америку. Рукоположен в 1928 г., служил в различных приходах в центральных и восточных штатах. Редактор журнала "Голос Пастыря". Секретарь Союза Русского Православного Духовенства в Америке, 1943.

Многочисленные статьи в Американских журналах и газетах. 100-летие воссоединения униатов с Православием. Вилкис-Бар. 1943.

BIOGRAPHICAL INDEX AND BIBLIOGRAPHY

АРИАДНА. Игуменья.

Настоятельница Богородице-Владимирской Женской Обители. Харбин, Шанхай, Сан-Франциско.

Отрада и утешение. Шанхай. 1941.
Светочь Любви. Шанхай. 1941. стр. 33.
Светочь Любви. Сан-Франциско. 1960. стр. 20.
Светочь Любви. Сан-Франциско. 1970. стр. 40.

АРКАДЬЕВ, Михаил.

Врач, миссионер, лектор и проповедник армии Врангеля.

Реальное бытие мира духов. Срем. Карловцы. 1921. стр. 32.

АРСЕНЬЕВ, Николай Сергеевич. =1888=.

Родился 16 мая в Стокгольме. Окончил Московский университет =1910=. Приват доцент Московского университета, =1914=. Профессор Саратовского университета, =1918-1920=. Покинул Россию в 1920 г. Профессор в Кенигсберге с 1921 г. и на православном факультете Варшавского университета, =1926-1938=. Профессор Св. Владимирской семинарии в Нью-Йорке с 1948 г. Видный участник Экуменического Движения. Лектор во многих европейских и американских университетах.

Жажда подлинного бытия. Б. 1922. стр. 231.
Die Kirche des Morgenlandes. Berlin. 1926. p. 103. Фр. пер. 1928. Румын. пер.
Mysticism and the Eastern Church. L. 1927. p. 180. Нем. пер. 1925. Рус. Вар. 1934.
О литургии и Таинстве Евхаристии. П. 1928. стр. 60.
Die Russische Literatur der Neuzeit. Mainz. 1929. p. 40.

АРСЕНЬЕВ, Николай Сергеевич. =прод.=

О современном положении христианства. Варшава. I927.
Православие, католичество и протестантизм. П. I930. стр. 200.
2 изд. I950. стр. I45.
Эллинский мир и христианство. Варшава. I933. стр. 76.
Die Unchristliche Realismus. Kassel. I-II. 1933-35.
Из жизни Духа. Варшава. I935. стр. I74.
Религиозный опыт ап. Павла. Варшава. I935. стр. 23. М. I960.
We beheld His Glory. L. 1937. p. 220.
Монашество и мистицизм Восточной Церкви. =по-румынски=.
Cernauti. 1940. p. 75.
The Holy Moscow. L. 1940. p. 148. Франц. пер. I948. Нем. п. I940.
Из русской культурной традиции. Франкфурт. I958. стр. 299.
Преображение мира и жизни. Н-Й. I959. стр. 235. нем. п. I955.
La piété Russe. Neuchâtel. 1963. p. 141. Англ. п. I964.
Die Geistigen Schicksale des Russischen Volkes. Graz. 1966. p. 450.
О Жизни преизбыточествующей. Брюссель. I966. стр. 285.
=К книге прибавлена полная библиография.=
О Достоевском. Брюссель. I972. стр. 64.

Для списка статей смотри также Мат. Биб. I. Бл. =I93I=, и II. Бл. =I94I=.

АСКОКОЛЬДОВ. =Псевдоним=. АЛЕКСЕЕВ, Сергей Алексеевич. =I870-I945=.

Сын философа А. А. Козлова =I83I-I90I=. Окончил естественно-научный факультет Петербургского университета. Был химик по профессии, но свое призвание видел в философии и издал несколько книг в этой области: "Основные проблемы теории познания и онтологии", =I900=. "А. А. Козлов", =I9I2=. В I9I4 г. получил степень магистра за свой труд "Мысль и реальность". После революции основал братство преп. Серафима и провел многие годы в ссылке. Покинул Россию в I94I г. Получил в

АСКОКОЛЬДОВ. =прод.=

1944 награду за свой труд "Критика диалектического материализма". Умер в Потсдаме.

Дух и материя. =Симпозиум "Новые Вехи".= Пр. 1945.

АФАНАСЬЕВ, Г. Е. =умер 1928=.

Профессор Белградского университета. Участвовал в сборнике Православие и Культура. Б. 1923.

Список статей. Мат. Биб. I. Бл. =1931=.

АФАНАСЬЕВ. Протоиерей Николая Николаевич. =1893-1960=.

Родился 4 сентября в Одессе. Поступил на математический факультет. Участвовал в первой мировой войне. Покинул Россию в 1920 г. Окончил в 1925 богословский факультет Белградского университета. Преподавал в Скоплье, =1925-30=. С 1930 г. был профессором канонического права в Православном Богословском Институте в Париже. Рукоположен в 1940 г. С 1941 по 1947 г. был настоятелем русского прихода в Тунисе. Доктор богословия =1950=. Умер в Париже 12 декабря.

Авторитет государства и вселенские соборы. =На сербском языке= Скополье. 1927. стр. 67.
Трапеза Господня. П. 1952. стр. 93.
Значение мирян в жизни Церкви. П. 1955. стр. 78.
Церковь Духа Святого. П. 1971. стр. 332. =Книга содержит краткий биографический очерк и библиографию.=

Перечень трудов можно также найти у Зан. 1937, Зан. 1947, Зан.

АФАНАСЬЕВ. Протоиерей Николая Николаевич. =прод.=

1954, Зан. 1965. Мат. Биб. II. Бл. 1941 и в журнале "Irénikon". 1967. No. 2.

БЕЛЯЕВ, Николай Михайлович. =1899-1930=.

Происходил из военной среды. Участник Белого Движения. Доктор философии Пражского университета. Один из основателей Семинария имени Н. П. Конадкова, =вместе с Г. В. Вернадским, А. П. Калитинским и Н. П. Толлем=. Впоследствии семинарий был преобразован в Институт. Беляев специализировался по иконописи и был один из последних непосредственных учеников Кондакова. Погиб в Праге от несчастного случая, 23 декабря.

Мат. Биб. II. Бл. =1941=.

БЕМ, Альфред Людвигович. =1886-1945=.

Библиотекарь Петербургской Академии. Профессор русской литературы в Праге. Специалист по Достоевскому. Редактор трехтомного сборника о Достоевском, =Пр. 1929-36=. Издатель журнала "Скит", =Пр. 1933-7=. При занятии красной армии Праги Бем был арестован и увезен в Советскую Россию, где и погиб в одном из лагерей. До этого он принял православие с именем Алексея.

Жизнь и смерть. =Сборник памяти Н. Е. Осипова.= Пр. 1 и 2 т. 1935-6.
Достоевский. Б. 1938. стр. 152.
У истоков творчества Достоевского. Пр. 1936. стр. 216.

Для списка статей см. Мат. Биб. I. Бл. =1931= и II. Бл. =1941=.

BIOGRAPHICAL INDEX AND BIBLIOGRAPHY

БЕРДЯЕВ, Николай Александрович. =I874-I948=.

Родился 6 марта в Киевской губернии. Отец его был гвардейский офицер, мать - урожденная княгиня Кудашева. Поступил в Киевский университет вместо Пажеского корпуса, был исключен из него в I898 г., сослан в Вологду. Стал членом социал-демократической партии. В I90I г. опубликовал "Субъективизм и индивидуализм в социальной философии". После учения в Германии, вернулся в Петербург в I904 г. Принял участие в сборнике "Вехи", I909, издал ряд книг по религиозной философии: "Философия свободы", I9II, "Смысл творчества", I9I6. Избран профессором философии Московского университета, =I9I7=. Выгнан из профессуры Лениным, =I9I8=. Участвовал в сборнике "Из Глубины", I9I8. Преподавал в Вольной Академии Духовной культуры, =I9I8-I922=. Выслан из России, =I922=. Стоял во главе Религиозно-философской Академии в Париже, =I925-I940=. Редактор журнала "Путь", =I925-I940=. Умер в Париже 24 марта.

Существует обширная литература о личности и творчестве Бердяева на английском, немецком и французском языках.

Миросозерцание Достоевского. Б. I923. стр. 238. =Нем. пер. - I925, англ. - I934, фр. - I932, исп. - I935, итал. - I942, швед. - I948.= П. I968. стр. 238.

Смысл истории. Б. I923. стр. 268. П. I969. =Нем. пер. - I925 и I950, сербск. - I93I, англ. - I936, исп., Чили - I936, фр. - I949.=

Философия неравенства. Б. I923. стр. 244. П. I970.

Новое средневековье. Б. I923. стр. 258. =Фр. - I927, нем. - I927 и I950, исп. - I932, серб. - I932, англ. - I933, гол. - I935, датск. - I936, польск. - I935, венг. - I935.=

Константин Леонтьев. П. I926. стр. 268. =Фр. - I937, англ. - I940.=

Философия свободного духа. I и II, П. I927-28. стр. 27I и стр. 275. =Нем. - I930, фр. - I938, англ. - I935, итал. - I9I7, исп. - I954.=

БЕРДЯЕВ, Николай Александрович. =прод.=

О самоубийстве. П. I93I. стр. 45.
Христианство и антисемитизм. П. =Б.Д.= стр. 32.
Христианство и классовая борьба. П. I93I. стр. I38. =Англ. - I933, фр. - I933, исп. - I935, польск. - I935, итал. - I936, серб. - I936, болг. - I936.=
О назначении человека. П. I93I. стр. 3I8. =Англ. - I935, нем. - I935, фр. - I935, исп. - I947, греч. - I950.=
Я и мир объектов. П. I934. стр. I87. =Фр. - I936, англ. - I938, итал. - I948, исп., Мексико - I948, нем. - I95I.=
Судьба человека в современном мире. П. I934. стр. 84. =Англ. - I935, нем. - I935, фр. - I936, гол. - I936, датск. - I944, япон. - I946, итал. - I947.=
Дух и реальность. П. I937. стр. I75. =Англ. - I937, фр. - I943, нем. - I949.=
The Origin of Russian Communism. L. 1939. =Нем. - I937, Фр. - I938, исп., Аргентина - I939, гол. - I939 и I948, итал. - I944.=

О рабстве и свободе человека. П. I939. =Англ. - I939, фр. - I946, гол. - I947, итал. - I952, нем. - I957, исп. - I955, японск. - I954.= 2 изд. I97I. стр. 222.
Русская идея. П. I946. стр. 259. =Англ. - I947, гол. - I947, фр. - I954, I970, нем. - I954.= 2 изд. I97I.
Опыт эсхатологической метафизики. П. I947. стр. 2I8. =Фр. - I946, англ. - I952, нем. - I954.=
Самопознание. П. I949. стр. 378. =Англ. - I950, нем. - I953, исп. - I954, гол. - I952.=
Экзистенциальная диалектика божественного и человеческого. П. I952. стр. 248. =Фр. - I947, англ. - I949, нем. - I952.=
Царство Духа и царство Кесаря. П. I95I. стр. I65. =Фр. - I95I, англ. - I952, нем. - I952, исп. - I953, итал. - I954, японск. - I955.=
Truth and Revelation. Л. - I953. стр. I56. =Фр. - I95I, японск. - I955.=

БЕРДЯЕВ, Николай Александрович. =прод.=

Истоки и смысл русского коммунизма. П. 1953. стр. 160. =Фр. - 1954.=
The Meaning of the Creative Act. L. 1955. =Фр. - 1955.=
Хомяков. Москва. 1912. стр. 250. Переиздано в Англии. 1971. стр. 250.
Духи русской революции. П. 1972. стр. 38.

Подробная библиография дана в "Bulletin de l'Association Nicolas Berdiaeff". No. 1, 1953. No. 2-3, 1954-57.

БИЛИМОВИЧ, Александр Дмитриевич. =1875-1963=.

Родился в Житомире. Окончил юридический факультет Киевского Университета. Профессор политической экономини и статистики Киевского Университета. Покинул Россию в 1920 г. Профессор Люблянского университета, =1922-1944=. Профессор в УНРА унив. Мюнхен, =1944-47=. Переселился в Америку в 1948. Умер 21 декабря, в Калифорнии.

Марксизм. Бл. 1936. Сан-Фран. 1954.
Введение в Экономику. Бл. 1937.
Кооперация в России. М. 1953.
Христианская этика. =На сербск. языке.= М. 1959.
Экономический строй освобожденной России. М. 1960.
Перечень статей. Мат. Биб. I. Бл. 1931, и II. Бл. 1941.

БИЦИЛЛИ, Петр Михайлович. =1879-1953=.

Профессор истории в Одессе, а потом в Софии. Сотрудник "Современных Записок" и "Нового Града". Статьи по социологии, литературе и истории.

БИЦИЛЛИ, Петр Михайлович. =прод.=

Введение в мировую историю. Бл. I923.
Русская Поэзия. Пр. I926.

Статьи. Мат. Биб. I. Бл. =I93I=, Мат. Биб. II. Бл. =I94I=.

БОБРИНСКОЙ, Алексей Алексеевич, граф. =I893-I97I=.

Родился I6 октября в Петербурге. Окончил Оксфордский университет. Участвовал в войне I9I4-I9I7 г. Покинул Россию после революции. Поселился во Франции. После второй мировой войны переселился в Англию. Скончался в Лондоне 6 февраля.

Астрономия Библии. П. I928.

БОБРИНСКОЙ, Андрей Александрович, граф. =I859-I930=.

Родился 30 января. Предводитель дворянства, Государственный Советник и камергер, член Государственной Думы. Умер в Париже I7 октября.

Из эпохи зарождения христианства. П. I929. стр. 46.

БОБРИНСКОЙ, Борис Алексеевич, граф, священник. =I925=.

Родился I5 февраля в Париже. Окончил Богословский Институт в Париже в I949 г. Инспектор института с I95I г. Профессор Догматического Богословия с I953 г. Рукоположен I8 октября I959 г. Деятельный участник Экуменического Движения.

Многочисленные богословские статьи в русских и иностранных журналах.

БОБРИНСКОЙ, Борис Алексеевич. =прод.=

Участник сборника "Православие в жизни", Н.И. 1953.

Список статей Зан. 1965.

БОБРИНСКОЙ, Петр Андреевич, граф. =1893-1962=.

Родился 6 декабря в Петербурге. Учился в Технологическом институте. Не смог кончить его из-за войны 1914 г. Служил в Гвардейской артиллерии. Покинул Россию в 1919 г. и поселился в Париже. Работал как журналист. Умер в Париже 24 августа.

Старчик Григорий Сковорода. П. Второе издание Мадрид. 1965. стр. 77.

БОБРОВ, Николай Рафаилович. =1897-1970=.

Родился 20 июля. Умер 11 декабря в Соединенных Штатах.

Краткий исторический очерк строительства свято троицкого монастыря. Дж. 1969. стр. 176.

БОГОЛЕПОВ, Александр Александрович. =1886=.

Родился 16 января. Окончил юридический факультет Петербургского университета =1911=. Профессор Петроградского университета и Бестужевских женских курсов, =1915-1922=. Покинул Россию в 1922. Профессор Русского Юридического факультета в

БОГОЛЕПОВ, Александр Александрович. =прод.=

Праге, =I924-I928=. Профессор русского языка в Берлине, =I94I-I946=. Профессор канонического права в св. Владимирской Семинарии в Нью-Йорке с I95I. Библиография. St. Vladimir Quarterly. Vol. 10. No. 1-2.

Православные песнопения Рождества, страстной недели и Пасхи. Таллин. I934. Амер. пер. Н-Й. I965.

Русская лирическая поэзия от Жуковского до Есенина. Н-Й. I952.

Церковь под властью коммунизма. М. I958. стр. 202.

Die Rechtsstallung der Auslander in Sowjet Russland. B. 1927.

The Statutes of the Russian Orthodox Church in 1946. M. 1959.

Toward an American Orthodox Church. N.Y. 1965. p. 124.

Church Reforms in Russia. N.Y. 1966.

БОГОЯВЛЕНСКАЯ, =урожд. Унгер-Штейнбор= Марианна Сергеевна. =I9I5=.

Родилась в Финляндии в Гельсинфорсе I сентября. Окончила Гельсинфорский университет в I939 г. Переехала в Америку в I950 г. Доктор Пенсильванского университета, =I959=. Преподает русскую литературу в Америке.

Религиозная личность Гоголя в новом освещении. Н-Й. I960. стр. I03.

БОЛДЫРЕВ, Дмитрий Васильевич. =I885-I920=.

Родился в военной семье. В I9I0 году окончил истирико-филологический факультет Петербургского университета. Знаток иконы и древне-русского искусства. Основатель Братства Св. Софии в I9I8-I9I9 гг. Ученик Н. О. Лосского. Профессор

БОЛДЫРЕВ, Дмитрий Васильевич. =прод.=

философии Пермского Университета, I9I8-I9I9 гг. Погиб в коммунистической тюрьме в Иркутске.

Профессор Зайцев посвятил его памяти книгу "Профессор-Крестоносец". Харбин. I926.

Звание и Существование. Харбин. I935.

БОЛЬШАКОВ, Сергей Николаевич. =I90I=.

Родился в Петербурге 27 июля. Покинул Россию в I9I8 г. Доктор философии Оксфордского университета, =I943=. Журналист и работник для сближения между Западными и Восточными христианами. Живет в Риме.

The Christian Church and the Soviet State. L. 1942. p. 75.
The Foreign Missions of the Russian Church. L. 1943. p. 120.
The Doctrine of the Unity of the Church in the Works of Khomiakov and Moehler. L. 1946.
Russian Non-Conformity. Philadilphia. 1950.
Father Michael, Recluse of Valamo. New York. 1959.
I Mistici Russi. Turin. 1962.
На Высотах Духа. Брюссель. I97I. стр. 44.

де БОСОБР. =урожд. КАЗАРИНА=. Юлия Михайловна.

Родилась в Петербурге. Была заключена в концентрационный лагерь. Покинул Россию в I934 г. Переехала в Англию. Во втором браке лэди Намир.

A woman who could not die. L. 1938. pp. 252.
The creative Suffering. L. (ND). p. 48.

де БОСОБР, Юлия Михайловна. =прод.=

The tragedy of France and the testing of England. 1941. pp. 31.
Transfiguration or Resurrection. L. (ND).
Russian letters of Direction by Macarius of Optina. L. 1944. pp. 108.
The flame in the snow (St. Serafim of Sarov). L. 1945. pp. 168.

БОЩАНОВСКИЙ. Протопресвитер Василий. =I872-I96I=.

Родился I марта в селе Самбек Таганрогского округа. Окончил Екатеринославскую семинарию в I893 г., и Киевскую Академию в I897. Рукоположен в том же году и назначен ключарем Преображенского собора в Житомире. В I920 г. эвакуирован в Сербию в звании законоучителя Донского кадетского корпуса, где оставался до I944 г., преподавая в различных русских учебных заведениях. С I944 по I949 г. преподавал в Германии в русской гимназии для беженцев. С I949 г. до своей смерти 22 апреля был настоятелем церкви в Лэйквуде в Америке.

Саровские торжества. I950. стр. I6.
Уроки по пастырскому богословию для лиц, желающих принять священство. Дж. I96I. стр. 99.

БРЯНЧАНИНОВ, А.

Несколько мыслей по поводу собора в Карловцах. Рим. I925.

БУБНОВ, Николай Николаевич. =I880-I962=.

Окончил Александровский лицей и Петербургский университет в I9I3 г. Профессор Гейдельбергского университета, I924-I962. Создатель при нем славянского института в I932 г.

F. Nietzsches Kulturphilosophie. Leipzig. 1924.
Ostlichen Christentum; I, II t. M. 1925. III t. 1956.
Kultur und Geschichte in Russischen Denken der Gegenvart. B. 1927.
Russische Religionphilosophen. Dokumente. Heidelberg. 1956. pp. 494.

Некролог-Л.А. Зандер. "Вестник Р.С.Х.Д." № 68-68. I963.

БУЛГАКОВ, Сергей Николаевич. Протоиерей. =I87I-I944=.

Родился I6 июня в Ливнах в семье священника. Учился в семинарии. Потерял веру. Окончил гимназию. Стал марксистом. Окончил Московский университет, =I894=. Опубликовал в I896 г. труд "О рынках при капиталистическом производстве", а в I90I г. "Капитал и Земледелие", 2 тома. Профессор Киевского Политехникума, I90I-I905. Член Второй Государственной Думы, I906. Профессор Московского Коммерческого Института, =I906-I9I0=. Участвовал в сборнике "Вехи" =I909=. Опубликовал "От марксизма к идеализму", =I903=. "Два Града", =I9II=. "Философия хозяйства", =I9I2=. "Свет Невечерний", =I9I7=. "Тихие думы", =I9I8=. Профессор Московского университета, =I9I7=. Рукоположен в священники II июня I9I8 г. Член Всероссийского Собора, =I9I7-I9I8 гг.=. Переезд в Крым, =I9I9=. Высылка из России I января I923 г. Профессор церковного права - Русский юридический факультет в Праге, =I923-I925=. Профессор догматики в Богословском Институте в Париже, =I925-I944=. Видный участник Экуменического Движения. Вице председатель Содружества св. Албания и преп. Сергия. Руководитель Рус. Студ. Христ. Движения. Один из наиболее значительных представителей православной мысли за рубежом.

БУЛГАКОВ, Сергей Николаевич. =прод.=

На пиру богов. София. I92I. стр. II8.
Свв. Петр и Иоанн. П. I926. стр. 9I.
Купина неопалимая. П. I927. стр. 288.
Die Tragoedie der Philosophie. Darmstadt. 1927.
Друг Жениха. П. I927. стр. 276.
Карл Маркс, как религиозный писатель. Варшава. I929. стр. 39.
Лествица Иаковля. П. I929. стр. 229.
Философия хозяйства. =На японском языке.= Токио. I930.
О чудесах Евангельских. П. I932. стр. II5.
Икона и иконопочитание. П. I93I. стр. I66.
Агнец Божий. П. I933. стр. 224. Франц. перев. I943.
The Orthodox Church. L. 1935. стр. 224. Франц. перев. I932. Румынск. перев. I933.
Докладная записка о Премудрости Божией. П. I935. стр. 64.
Утешитель. П. I936. стр. 447. Фр. пер. I947.
The Wisdom of God. L. 1937. pp. 220.
Радость Церковная. П. I938. стр. 98.
Невеста Агнца. П. I945. стр. 62I.
Автобиографические заметки. П. I946. стр. I65.
Апокалипсис Иоанна. П. I948. стр. 353.
Философия имени. П. I953. стр. 278.
Жизнь за гробом. П. I955. стр. I6.
The Vatican Dogma. South Canaan. Pa. 1959. pp. 91.
Dialog zwischen Gott und Mensch. Marbourg. 1961.
Православие. П. I965. стр. 403.
Дневник Духовный. П. I973.
Обзор богословских трудов о. Булгакова дан Л. А. Зандером в 2-хтомном сочинении "Бог и мир". П. I948. стр. 865.

Полная библиография его трудов дана в "Памяти о. Сергия Булгакова. П. I945", составленной Л. Зандером. Также Зан. I932, I937, I947, I954, I965. Мат. Биб. I. I93I и II. Бл. I94I.

В эмиграции были перепечатаны его следующие до-революционные

БУЛГАКОВ, Сергей Николаевич. =прод.=

книги:

От марксизма к идеализму. Мос. I903. стр. 347. Франк. I968.
Два Града. Мос. I9II. стр. 3I3. I97I. (Gregg Press Farnham Engl.)
Философия хозяйства. Мос. I9I2. I97I. стр. 334. (Gregg Press Farnham Engl.)
Свет Невечерний. Мос. I9I7. стр. 425. (Gregg Press Farnham Engl.)

БУНАКОВ. =псевдоним Фундаминского=. Илья Исидорович. =I880-I942=.

Родился в Москве в состоятельной еврейской семье. Вступил в партию социал-революционеров. Участвовал в террористических организациях. Учился в Гейдельберге и Берлине, =I900-02=. Организовал восстание во флоте в I905 г. Бежал во Францию, =I906-I907=. После установления ленинской диктатуры бежал снова во Францию в I9I9 г. Погиб в немецком концлагере I9 ноября, приняв крещение незадолго до смерти. Редактор "Современных Записок". Участник Русск. Студ. Христ. Движения и Православного Дела. Автор "Пути России", "Современные Записки": № 2, 4, 7, 9, I2, I4, I8, 22, 32, 48, 49, 50, 52, 54, 62, 67.

БУТАКОВ, Н.

Св. Плащаница Христова. Дж. 1968.

ВАЛЕНТИНОВ. =псевдоним.= Ланге, Александр Александрович. =1892-1957=.

Окончил юридический факультет Петербургского университета. Участвовал в первой мировой и в гражданской войне. Учился в Чехии. Работал журналистом во Франции и умер в Югославии.

87 Дней в поезде генерала Врангеля. Б. 1922.
Последние студенты. Б. 1922.
Крымская эпопея. =Архив русской революции том. 5.= Б. 1922.
Штурм Неба. =Документы о гонениях на христиан в России.= Пр. 1924. Перевод на франц., немец., итал. и японский языки.

ВАННОВСКИЙ, Александр Алексеевич. =1874-1967=.

Родился 11 сентября. Будучи студентом Московского технического училища вступил в партию социал-революционеров. Сослан в Вологодскую губернию в 1900 г. Принимал участие в Московском восстании в 1905 г. Под влиянием изучения Шекспира вышел из партии в 1912 г. и обратился в христианство. После победы Ленина покинул Россию и поселился в Японии, где был ректором двух университетов. Умер в Токио 16 декабря.

The Path of Jesus from Judaism to Christianity as conceived by Shakespeare. Tokyo. 1962.
Третий завет и апокалипсис. Токио. 1965. стр. 101.

ВАРШАВСКИЙ, Владимир Сергеевич. =1906=.

Сын известного журналиста покинул Россию в 1920 г. Учился в

ВАРШАВСКИЙ, Владимир Сергеевич. =прод.=

Чехии и в Париже. Участвовал во второй мировой войне. Писатель и журналист. Работал в Соединенных Штатах и в Германии.

Незамеченное поколение. Н-Й. 1956. стр. 387. =Книга описывает религиозные и идеологические движения среди русской молодежи, выросшей в изгнании.=
Ожидание. П. 1972. стр. 303.

ВАСИЛИЙ. Архиепископ. =Всеволод Александрович КРИВОШЕИН.= =1900=.

Родился 19 июля в Петербурге. Окончил Сорбонну в 1921. Участвовал в Русск. Студ. Христ. Движении. Постригся на Афоне, =1925-1947=. Переехал в Англию в 1951. Посвящен в Епископа 30 мая 1960. Архиепископ Брюссельский. Редактор Вестника Русского Западноевропейского Патриаршего Экзархата.

L'Enseignement ascétique et mystique de Gregoire Palamas. Pr. 1936.
Cathechèses de Simeon le Nouveau Théologien. P. 1963.

Мат. Биб. II. Бл. =1941=.

ВАСИЛИЙ. Епископ Потсдамский и Венский. =Павловский, Владимир Михайлович=. = ? -1945=.

Окончил Казанскую Академию. Магистр Казанского университета. Директор русской гимназии в Мукдене. Принял монашество в 1930 году и стал ректором богословского факультета при институте Св. Владимира в Харбине. В 1938 году переехал в Европу и был вскоре посвящен в епископа, занимал должность секретаря Синода Русской Зарубежной Церкви. Умер в Мюнхене.

ВАСИЛИЙ. Епископ Потсдамский. =прод.=

Духовный вождь русского народа. Харбин. I928.

ВЕЙДЛЕ, Владимир Васильевич. =I895=.

Родился I марта в Петербурге. Окончил Исторический факультет Петербургского университета, =I9I6=. Профессор Пермского университета, =I9I8-I920=. Преподаватель истории искусства в Петрограде, =I920-I924=. Покинул Россию в I924 г. Вернулся в Церковь под влиянием о. Сергия Булгакова. Профессор христианского искусства в Богословском Институте в Париже, I932-I952. Специалист по итальянскому искусству, постоянный сотрудник "Нового Журнала" и других пер. изданий.

Умирание искусства. П. I937.
Les Icônes Bizantines et Russes. Florence. 1940.
La Russie absente et présente. P. 1949. Англ. I952. Исп. I950.
The Baptism of Art. L. 1950.
Вечерний день. Н-Й. I953. стр. 2I9.
Задача России. Н-Й. I954. стр. 238.
Les Abeilles d'Aristée. P. 1954.

Рим. П. I967.
Безимянная страна. П. I968. стр. I64.
О поэтах и поэзии. =Гот. к печати.=
Для статей см. Зан. I954.

ВЕНИАМИН. Митрополит. =Федченко=. =I882-I962=.

Епископ Севастопольский, =I9I8-I92I=. Эвакуировался в Константинополь, а потом в Югославию. Инспектор Богословского Института в Париже, =I926-I927=. Экзарх Московского патриарха в Соединенных Штатах, =I934-I947=. Вернувшись в Россию,

ВЕНИАМИН. =прод.=

он занимал кафедры в Риге, в Ростове на Дону и в Саратове. Умер в Псково-Печорском монастыре.

Житие преп. Серафима Саровского. П. 1935. стр. 79.
"Небо на земле". Учение о. Иоанна Кронштадского о Божественной Литургии. П. 1932.

ВЕРНАДСКИЙ, Георгий Владимирович. =1887=.

Родился в Петербурге. Окончил Московский университет =1910=. Магистр русской истории Петроградского университета =1917=. Профессор Пермского университета, =1917-1918=, Таврического, =1918-1920=, Русского юридического факультета в Праге, =1922-1927=. Профессор в Ейльском университете в Америке, =1927-1956=. Принимал участие в Евразийстве. Видный историк России. В честь Вернадского опубликована книга

"Essays in Russian History". Hamden. 1964. 317 pp. Содержит библиографию.
Очерки по истории русского государства 18-19 века. Пр. 1924. стр. 166.
Начертания русской истории. Пр. 1927. ч. I. стр. 264.
Опыт истории Евразии с половины VI века до настоящего времени. Б. 1934. стр. 189.
Звенья русской культуры. Брюссель. 1938. стр. 229.
A History of Russia. New Haven. 1929. 397 pp. (7 edit.) Dutch, Hebrew, Jap., Span. translations.
Lenin, Red Dictator. New Haven. 1931. 351 pp.
The Russian Revolution. N.Y. 1932. 133 pp.
Political and Diplomatic History of Russia. Boston. 1936. 499 pp.
Bohdan, Hetman of Ukraine. New Haven. 1941. 150 pp.
Ancient Russia. New Haven. 1943. 425 pp.
Kievan Russia. New Haven. 1948. 412 pp.
The Mongols and Russia. New Haven. 1953. 462 pp.

ВЕРНАДСКИЙ, Георгий Владимирович. =прод.=

Russia at the dawn of the modern age.New Haven. 1959. 347 pp.

Мат. Биб. I. Бл. =I93I=, II. Бл. =I94I=.

ВЕРОНИКА. Монахиня. =Котляревская=. = ? -I950=.

Была воспитана в безрелигиозной среде. Окончила Высшие Женские Курсы в Москве. Играла в театре в Петербурге. Обратилась к вере во время гонений на Церковь, была сослана в Лагерь. Приняла монашество в Эмиграции. Умерла в старческом доме во Франции.

Воспоминания монахини. Сан Франциско. =Б.Д.=, стр. 44.

ВЕРХОВСКИЙ, Сергей Сергеевич. =I907=.

Родился в Костроме 5 июля. Покинул Россию в I92I г. Учился в Братиславе =Чехо-Словакия= и в Париже. Профессор догматики в Богословском институте в Париже, =I944-I95I=. С I95I г. преподает тот же предмет в Св. Владимирской семинарии в Нью-Йорке. Один из руководителей Рус. Студ. Христ. Движения за рубежом.

Православие и жизнь. =редактор=. Н-Й. I953. стр. 4II.
Бог и человек. Н-Й. I956. стр. 4I5.

Для статей см. Зан. I954.

ВИЛИНСКИЙ, С. Г.

Профессор Новороссийского университета в Одессе и Масарикова университета в Брне. Писал на темы истории, литературы и богословия.

Мат. Биб. I. Бл. =I93I=.

ВИНОГРАДОВ. Протопресвитер Василий. =I885-I968=.

Родился 23 марта в Можайске, сын священника. Окончил Московскую Академию. Преподавал в ней гомилетику и пасторское богословие, =I909-I92I=. Рукоположен в I922 году, проходил ряд ответственных должностей при патриархе Тихоне. Был многократно арестован. Ректор пастырских курсов в Вильне, =I942-I944=. Настоятель приходов в Вене и Мюнхене. Умер 24 окт. в Мюнхене.

In orthodoxer Schau. M. 1958. 82 pp.
О некоторых важнейших моментах последнего периода в жизни и деятельности патр. Тихона. М. I959. стр. 7I.
Die Kirche unter der Herrschaft des Kommunismus. M. 1960.
Пастырское богословие. т. I. М. I962. стр. 88.
Пастырское богословие. т. 2. М. I965. стр. 57.

ВИТАЛИЙ. Архиепископ. =Максименко Василий Иванович=. =I873-I960=.

Сын диакона родился около Таганрога 8 августа. Поступил в Киевскую Духовную Академию, но был исключен из нее. Окончил Казанскую Академию. Принял монашество и был рукоположен в иереи. В I903 г. назначен в сане архимандрита проповедником в Почаевскую Лавру. Заведовал типографией, основанной в I6I8 году преп. Иовом Почаевским =I65I=. После занятия Волыни

ВИТАЛИЙ. Архиепископ. =прод.=

Поляками был посажен в подводный казамет в Демблине. После освобождения переехал в Югославию и оттуда в Прикарпатскую Русь, где в 1926 г. восстановил типографию Иова Почаевского во Владимирове. Посвящен в епископы в 1934 г. Переселился в Америку. Воссоздал там типографию в Джорданвилле. Занимал кафедру для Восточных Штатов. Был членом Синода Зарубежной Церкви.

Учительные книги Ветхого Завета. Дж. 1952. стр. 124.
Пророческие книги Ветхого Завета. Дж. 1953. стр. 124.
Мотивы моей жизни. Дж. 1955. стр. 207.
Православное противосектанское руководство. Дж. 1958. стр. 152.

ВЛАДИМИР. Митрополит. =Вячеслав Михайлович Тихоницкий=. =1873-1959=.

Сын священника. Окончил Вятскую семинарию и Казанскую Духовную Академию =1898 г.=. В 1897 году был пострижен в монашество. Рукоположен в диакона, а в 1898 г. в иеромонаха с назначением в Киргизскую миссию. В 1901 начальник миссии и архимандрит. В 1907 г. Хиротонисан во епископа Белостокского. Участвовал в работах Всероссийского Собора 1917/18 года. За его борьбу с автокефалией Польской Церкви, введенной без согласия Патриарха Тихона, арх. Владимир был заточен в монастыр, а в 1924 году выслан из Польши в Чехию, откуда, по приглашению митр. Евлогия, переехал в Ниццу. В течение 20 лет управлял приходами юга Франции и Италии. С 1947 года митрополит Западно-Европейских Русских Церквей и Экзарх Вселенского Патриарха. Умер 5 декабря.

ВЛАДИМИР. Митрополит. =прод.=

"Слова и поучения". П. 1961. стр. 415.
Биография митр. Владимира в книге "Митрополит Владимир - Святитель и молитвенник". П. 1965. стр. 251.
Духовные Зернушки. Мысли и советы святителя Божия. П. 1967. стр. 168.

ВОЗНЕСЕНСКИЙ. Протоиерей Николай.

Видный руководитель Иверским Братством в Харбине, декан богословского факультета. Церковно-общественный деятель. Был рукоположен в епископы с именем Дмитрия и получил титул Хайларского. После войны был вывезен в СССР и там умер.

Христианское мировоззрение. Шанхай. 1921.
Христианская жизнь. Харбин. 1927.

Апологетика.

ВОСКОБОЙНИКОВ, Виктор Михайлович. =1903=.

Родился около Харькова. Сын священника. Покинул Россию в 1920. Получил образование в Чехии. Диплом инженера =1928=. Член Русск. Студ. Христианского Движения. В 1937 переселился в Аргентину.

Диалектика современности. Буэнос-Айрес. 1955. Издана под псевдонимом Виктора Савинского. стр. 234.

ВОСТОКОВ. Митрофорный протоиерей. Владимир. =1868-1957=.

Сын священника, родился 11 июля. Окончил Московскую семинар-

ВОСТОКОВ. Протоиерей Владимир. =прод.=

ию =I888=. Посвящен в иерея =I89I=. Сначала священствовал в селах Московской епархии. В I903 г. назначен настоятелем церкви Великом ученика Георгия в Москве. Настоятель церкви Института Благородных Девиц =I906=. В I9I2 приглашен В. К. Елизаветой Федоровной лектором при ее Общине Милосердия. Начал издавать духовно-литературный ежемесячник "Отклики на Жизни", =I9II=. За статью направленную против Распутина был принужден покинуть Москву и перевестить в город Уфу.

=Дополнительная информация находится в приложении стр. I53.=

ВЫШЕСЛАВЦЕВ, Борис Петрович. =I877-I954=.

Родился в Москве. Окончил юридический факультет Московского университета в I899 г. В I9I4 защитил диссертацию "Этика Фихте" и получил кафедру философии в Московском университете. Выслан из России в I922. Член Религиозно-Философской Академии в Париже. Сотрудник ИМКА-ПРЕСС. Соредактор с Бердяевым журнала "Путь". Профессор Богословского Института в Париже. После войны переехал в Женеву, где и скончался.

Русская стихия и Достоевский. Б. I923. стр. 54.
Вера, неверие и фанатизм. П. I929. стр. 30.
Христианство и социальный вопрос. П. I929. стр. 38.
Сердце в христианской и индийской мистике. П. I929. стр. 77.
Этика преображенного эроса. П. I93I. стр. 273.
Descartes, (avec Jacques Maritain). P. 1931. pp. 107.
Трагизм возвышенного и спекуляция на понижении. П. I933. стр. I5.
Кризис индустриальной культуры. Н-Й. I952. стр. 350.
Философская нищета марксизма. =Под псевдонимом Б. Петрова.= Франкфурт. I952. стр. 232.
Вечное в русской философии. Н-Й. I955. стр. 296.
Для статей см. Зан. I937, I947, I954, I965, Мат. Биб. I. Бл. =I93I=.

BIOGRAPHICAL INDEX AND BIBLIOGRAPHY

ГАВРИЛОВА, Александра Михайловна.

Окончила гимназию во время первой мировой войны. Преподавала в женских гимназиях. Покинула Россию после революции. 35 лет жила в Египте и путешествовала по странам Ближнего Востока. Переехала на жительство в Испанию.

Паломничество на святую гору Синай. Дж. 1952.
Святыни Египта. Буэнос Айрес. 1960.
Записки паломницы. =Палестина 1945-6-7.= Дж. 1968.

ГАКЕЛЬ, Алексей =Альфред= Густавович. =1892-1951=.

Родился 17 сентября в Петербурге, в лютеранской семье. Окончил Реформаторское училище и Петербургский университет. Участвовал в войне 1914-17 гг. Покинул Россию в 1922 г. Учился в Гейдельберге. Принял православие. Преподавал в Германии, Париже и Голландии. Умер в Лейдене =Голландия= 6 марта.

Die Trinität in der Kunst. B. 1931.
Der Altrussische Heiligenbild die Ikone. Nijmeyen. 1936.
Ikon. Freiburg. 1943. Англ. пер. 1954, исп., франц. и русск. пер.
Dostojevskij. Amsterdam. 1950.
Sergij von Radonesh. Münster. 1956.

ГАКЕЛЬ, Сергей Алексеевич. Протоиерей. =1931=.

Родился 24 августа в Берлине. Переехал в Англию в 1940 г. Окончил Оксфордский университет в 1952 г. Рукоположен в 1965 г. Преподает русскую литературу в Соссекс университете. Участвовал во Всероссийском Соборе =1971=.

Theophan the Recluse. What is spiritual life and how should one embark on

ГАКЕЛЬ, Сергей Алексеевич. =прод.=

it? L. 1959. =Перевел и редактировал.=

One of great Price (The life of Mother Maria Skobzova, martyr of Ravensbruck). L. 1965. pp. 136.

The Orthodox Church. L. 1971. 48 pp. =Иллюстрированная книга для детей школьного возроста.=

ГАРДНЕР, Иван Алексеевич. =I898=.

Родился 9 декабря в Севастополе. Отец юрист, принадлежал к известной семье фабрикантов фарфора. Среднее образование получил в Московском Лицее. В юности вместе с матерью посещал знаменитые обители Киево-Печерскую, Троице-Сергеевскую и Саровскую. С 4-го класса лицея стал заниматься церковным пением. Покинул Россию в I920 г. Окончил богословский факультет Белградского университета в I928 г. Преподавал в семинарии в Цетинье. После пертурбаций второй мировой войны обосновался в Германии. Окончил Мюнхенский Университет. Доктор философии. С I954 года преподает русское литургическое музыковедение в Мюнхенском университете. С I967 г. член Международной Комиссии по исследованию древнеславянских музыкальных памятников при Баварской Академии Наук.

Один из главных знатоков церковного пения в эмиграции. Автор многочисленных статей и исследований на эту тему, напечатанных в русских и иностранных журналах, энциклопедиях и ученых сборниках. Композитор и комментатор. Многие из его произведений записаны на грамофонные пластинки.

Таинственный смысл утрени Великой Субботы. Вар. I930. стр. 30.

Догматическое содержа́ние канона Великой Субботы. Вар. I935. стр. 26.

Божественная литургия св. ап. Иакова брата Господня. Владимирово. I938. 2 издание. Рим. I970.

ГАРДНЕР, Иван Алексеевич. =прод.=

А. Ф. Львов. =1798-1870.= Дж. 1970. стр. 90.
Ein handschriftliches Lehrbuch der altrussischen Neumenschrift.
T.I.Text. M. 1963. T. 2. Kommentar. M. 1966. T. 3. Kommentar zum Tropen. 1973.
Das Problem des altrussischen domestischen Kirchengesanges und seiner linienlosen Notation. M. 1967.

ГЕННАДИЙ. Архимандрит. =Евгений Александрович Эйколович=. =1914=.

Родился в Пинске. Окончил Варшавский университет по экономическому отделу в 1939 г. Окончил Богословский Институт в Париже в 1951 г. Переселился в Америку в 1958 г. Ректор св. Тихоновской семинарии в South Canaan, Pennsylvania позже, приходской священник.

Закон Творения. Буэнос-Айрес. 1956.
Божественные имена Дионисмя Псевдо-Ареопагита. Буэнос-Айрес. 1957.

ГЕОРГИЕВСКИЙ, Михаил Александрович.

Профессор еврейского языка на богословском факультете в Белграде. Арестован и увезен в Советскую Россию при занятии Белграда Красной Армией.

См. Мат. Биб. I. Бл. =1931=. Мат. Биб. II. Бл. =1941=.

ГЕССЕН, Сергей Иосифович. =1887-1951=.

Изучал философию в Германии. Профессор Томского университета. После революции преподавал в Берлине и в Праге. С 1939 г. жил в Польше, где и умер. Многие из его книг были изданы в

ГЕССЕН, Сергей Иосифович. =прод.=

Италии. Под конец жизни принял Православие.

Основы Педагогики. Б. 1925.
Трагедия добра в Братьях Карамазовых. 1928.
О добродетелях Греческих и Христианских. Пер. итал. и польск.
Funfzehn Jahre Sowjetschulwesen. Langensalza. 1933. pp. 261.
Pedagogika i szkinetwo w Rosjii Sowieckiez. War. 1935. pp. 308.

Мат. Биб. I. Бл. =1931= и II. Бл. =1941=.

ГИППИУС, Анна Николаевна. =1880-1942=.

Сестра Зинаиды Гиппиус =1869-1945=. Покинула Россию в 1920 г. Сперва Константинополь, потом Париж. Участвовала в церковно-общественной жизни русской колонии, умерла от недоедания во время немецкой окупации.

Святитель Тихон Задонский. П. 1927. стр. 56.[1]

ГЛИНДСКИЙ. Прот. Василий. =1891=.

Родился 16 апреля. Окончил второй кадетский корпус Петра Великого и Николаевскую Военную Академию. =Ускоренный курс военного времени.= Приехал в Америку священником в 1949. Настоятель церкви в Сан-Франциско.

Основы христианской православной веры. Сан-Франциско. 1965. стр. 287.
Апологетика. 1973. стр. 400.

---

1. Примечание. 1630 экземпляров этой книжки были сожжены 21 июля 1941 г. в Белграде ротмистром И.В.Рычковым, заведывающим культурно-просветительным отделом управления русской колонии.

ГЛУБОКОВСКИЙ. Николай Никанорович. =1863-1937=.

Родился 6 декабря в селе Кичманском Городке Вологодский губ. Сын священника. Окончил Московскую Духовную Академию в 1889 г. В 1890 г. опубликовал большой труд "Бл. Феоодорит Еп. Кирский". Профессор Петербургской Духовной Академии с 1894 г. Доктор Богословия =1898=. Один из наиболее известных богословов Русской церкви. Его главный труд "Благовестие Ап. Павла" вышел в трех частях, =1905-1912=. Покинул Россию в 1921. С 1923 г. преподавал богословие в Софийском Университете. Умер в Болгарии 18 марта. Видный участник Экуменического Движения.

Православная Церковь и Христианское международное единение. =по Бол.= София. 1924.

Русская богословская наука и ее историческое развитие. Варшава. 1928. =Включает библиографию.= стр. 99.

Св. Апостол Лука. София. 1932.

Евангелия и их благовестие о Христе Спасителе. София. 1932.

Евангелия и Апостольские Постановления и их происхождения. Соф. 1935.

Евангелие христианской свободы. София. 1935.

Петербургская Академия во время студенчества Патр. Варнавы. Ср. Карловцы. 1936.

Благовестие христианской славы в Апокалипсе. Дж. 1966. стр. 115.

ГОРНОСТАЕВ, А. К.

ГОРНОСТАЕВ. =прод.=

Рай на земле =Достоевский и Н. Федоров=. Харбин. I929.
Перед лицом смерти =Л. Толстой и Н. Федоров=. Харбин. I928.

ГОРОДЕЦКАЯ, Надежда Даниловна. =I90I=.

Родилась в Москве 28 июля. Дочь литератора. Училась в Гатчине и в Полтаве. Покинула Россию в I9I9 г. Жила в Югославии, переехала в I924 г. во Францию, занималась литературой и журналисткой. Автор романов: "Несквозная нить", П. I924. стр. I63. Франц. пер. "Les mains vides", P. 1931. "Мара", П. I93I. стр. I93. "L'exil des enfants", P. 1936. 292 pp.

В I934 прошла курс богословия в College of the Ascension, Birmingham. В I938 г. защитила диссертацию в Оксфордском университете. Лектор при Содружестве св. Албания и преп. Сергия. Основала дом св. Макрины в Бирмингаме для православных студенток =I939=, не открывшийся из-за войны. С I942 г. работала для доктората в Оксфорде. Первая женщина прочитавшая курс на богословском факультете. Доктор философии =I944=. Лектор по русской литературе =I945-I956=. Профессор Ливерпульского университета, =I956-I968=. Заслуженный профессор =I968=. Многочисленные статьи в английских журналах. Лекции в американских университетах.

The humiliated Christ in modern Russian thought. London. 1938. 185 pp.
Saint Tikhon Zadonsky, Inspirer of Dostoevsky. L. 1951. 244 pp.

ГОРЯЙНОВА, Ирина Николаевна. урожд. Одинцова. =I90I=.

Родилась I9 марта в Петербурге в военной семье. Окончила среднее образование в России. С I920 по I925 г. работала в Югославии. Получила стипендию в Америке и поступила в Колумбийский университет в Нью Йорке, но не окончила его выйдя

ГОРЯЙНОВА, Ирина Николаевна. =прод.=

замуж за Кирилла Горяйнова. =Умер в 1942.= Войну провела во Франции, написала боиграфию Пушкина, опубликованную в 1946 г. Работала как сестра милосердия. Десять раз ездила в Лурд, сопровждая туда больных. Совершила поломничества пешком в Рим, в Испанию и другие места по следам средневековых паломников. В 1951 г. издала в Нью Йорке книгу "God's Wayfarer", описывающую свои путешествия.

Начиная с 1960 года часть своего времени Горяйнова проводит на острове Патмос, занимаясь иконописью и литературой. Ее статьи были напечатаны, как в русских так и иностранных журналах. Книга о преп. Серафиме Саровском на французском языке принята к печати, она же появится и на английском языке.

ГОФШТЕТТЕР, Ипполит Андреевич. =1860-1951=.

Родился в Екатеринославе. С 1922 г. жил в Салониках. Поэт, философ и богослов. Умер на пасху 1951 г. Печатался в журнале "Путь". Некоторые его статьи были напечатаны в Греции его другом Харилаос Иеру.

ГРАББЕ. Протопресвитер. Георгий Павлович, граф. =1902=.

Родился в Петербурге 8 апреля. Покинул Россию в 1920 г. С 1923 по 1926 г. обучался на богословском факультете Белградского университета. С 1931 г. управлял канцелярией Архиерейского Синода Русской Церкви за рубежом. В 1945 г. рукоположен в иерея. С 1946 по 1951 г. кроме должности Правителя дел синодальной канцелярии, был председателем переселенческого комитета в Мюнхене. В 1951 переселился вместе с синодом в Нью-Йорк. С 1967 г. консультант при Архиерейском Синоде и заведующий отделом внешних сношений. С 1932 по 1946 и с 1951 по 1967 редактор журнала "Церковная жизнь".

ГРАББЕ, Георгий Павлович. =прод.=

Корни церковной смуты. Бл. I927. стр. 30.
Алексей Степанович Хомяков. Варшава. I929. стр. 74.
Англикане и Православная Церковь. I930. стр. 39.
Единство и единственность Церкви. Вар. I929. стр. 4I.
Истинная соборность. Вар. I930. стр. 36.
Культура, прогресс и Церковь. Вар. I93I. стр. 47.
Церковь и государство в будущей России. Бл. I93I. стр. 27.
Единение или раздробление. Бл. I932. стр. I6.
Лже-православие на подъеме. Дж. I954. стр. 2I2.
Правда о русской Церкви на родине и за рубежом. Дж. I96I. стр. 2I6.
Церковь и ее учение в жизни. =Собрание Сочинений.= том. I. Монтреаль. I964. стр. 27I.
Церковь и ее учение в жизни. том II. Монтреаль. I970. стр. 323.
Готовится к печати. Книга Правил Св. Апостолов и Вселенских Соборов в трех томах с примечаниями.
The Canonical and legal position of the Moscow Patriarchate. Jer.1971.pp.54.
Отрицание вместо утверждения. Дж. I97I. стр. 24.

ГРАББЕ, Павел Николаевич. Граф. =I875-I94I=.

Родился II декабря. Окончил Пажеский Корпус. Служил в Кавадергардском полку. Вышел отставку в I9I0 г. Предводитель Дворянства в Звенигородском уезде. Командовал полком во время первой мировой войны. Член Всероссийского Церковного Собора, =I9I7-I8=. Схвачен большевиками в Польше в I940 г. и погиб в лагере.

О Парижских "Богословах". Ровно I937. стр. 24.
Свобода с православной точки зрения. Варшава. I930.

ГРИНЧЕНКО, Леонид Алексеевич. =1898- ? =.

Родился 7 августа в селе Веселогорском, Екатеринославской губ. Учился в Белградском университете, 1922-26 гг. Принимал участие в Братстве Св. Серафима. Окончил Богословский Институт в Париже в 1930 г. Изучал Римо-Католическое Богословие в Риме. Вернулся в Россию после второй мировой войны.

L'explication du credo pour les convertis au christianisme. (Edition de l'Eglise Catholique Orthodoxe d'Occident.) P. 1942.

ГУЛЬ, Роман Борисович. =1896=.

Родился в Пензе. В 1914 г. поступил на юридический факультет Московского университета. Занимался у профессора И. А. Ильина. =Введение в философию.= Мобилизован в 1916 г. участвовал в первой мировой войне. Проделал Ледяной Поход генерала Л. Г. Корнилова, сражался в рядах Белой Армии на Украйне. С 1919 по 1933 г. жил в Германии, потом во Франции. В 1950 г. переехал в Америку. Кроме работы в журналах и газетах, издал 15 книг, многие из которых переведены на главные европейские языки. Наиболее известные "Ледяной Поход", Б. 1921, "Дзержинский", П. 1936, "Конь Рыжий" =автобиография=, Н-Й. 1952, "Читая август 1914-го Солженицина", Н-Й. 1971. С 1959 года редактор "Нового Журнала", Нью-Йорк.

К вопросу об "автокефалии". Н-Й. 1972.

ДАМИАН. Епископ. =Говоров=. =умер в 1936 г.=.

Епископ Царицынский. Покинул Россию в 1920 г. Настоятель монастыря Св. Кирика в Болгарии. Основатель и ректор Пастырского училища при монастыре в Станкмане.

ДАМИАН. Епископ. =прод.=

В единении сила. Константинополь. I92I.
Руководство по предмету Пастырского Богословия. София. I928. стр. I29.

ДЕМИДОВ. Протоиерей Василий. =I886-I952=.

После второй мировой войны преподавал в Джорданвилле, где и скончался 3 июля.

Спутник христианина. =Пособие для бесед с сектантами=. Н-Й. I94I. стр. 240.
О сущности православия. Н-Й. I94I. стр. 88.
Из бездны к Богу. I942. стр. I35.
О почитании св. Можей. Дж. стр. I8.
Плотник из Назарета.
Вера и знание. Н-Й. I950. стр. 27.
В защиту Церкви. Дж. I948. стр. 50.
Свидетели верные и исповедники православия. Дж. I95I. стр. 3I.

ДЕПУТАТОВ. Протоиерей Николай Михайлович. =I896=.

Родился 5 декабря в городе Вольске, Саратовской губ. Окончил Саратовское реальное училище =I9I3= и военное училище в Гори =I9I6=. Участник мировой и гражданской войны. Эмигрировал из Семиречья в Китайский Туркестан. С I922 года работал и учился в Харбине. В I939 году окончил богословский факультет института св. Владимира. Принял священство.

=Дополнительная информация находится в приложении стр. I54.=

ДОБРОКЛОНСКИЙ, Александр Павлович. =I856-I937=.

Родился I0 декабря, сын священника. Окончил Московскую Дух-

ДОБРОКЛОНСКИЙ, Александр Павлович. =прод.=

овную Академии в I880 г. Ректор и профессор церковной истории Новороссийского университета =Одесса=. Автор многочисленных трудов по патрологии и по истории древней церкви. Покинул Россию в I920 г. Профессор церковной истории в Белградском Университете. Умер 4 декабря.

Моя краткая автобиография. Белград. I938.

Мат. Биб. I. Бл. =I93I= и II. Бл. =I94I=.

ЕВДОКИМОВ, Павел Николаевич. =I90I-I970=.

Родился в Петербурге 2 августа. Поступил в Киевскую Духовную Академию, I9I8. Покинул Россию, I920. Участвовал в работе Р.С.Х.Д. Окончил Богословский Институт в Париже, =I928=. Преподавал в французских школах. С I953 г. профессор нравственного богословия в Богословском Институте в Париже. Участник Экуменического Движения. Умер I6 сентября.

№№ 73 - 74 журнала "Contacts". П. I97I. Посвящены памяти П. Н. Евдокимова.

Dostoevsky et le problème du Mal. Lyon. 1942.

Le Mariage Sacrement de l'Amour. Lyon. 1942.

La femme et le Salut du Monde. P. 1958. pp. 272. =Нем., гол., и исп. п.=

L'Orthodoxie. P. 1959. pp. 351. =Нем., польск., итал., и англ. пер.=

Introduction à Dostoevsky. Cartagena. 1959.

Gogol et Dostoevsky ou la descente en l'Enfers. P. 1961. pp. 307. Нем.I965.

Sacrement de l'Amour. P. 1962. pp. 267. Нем. и исп. перев.

Les Âges de la Vie Spirituelle. P. 1964. pp. 234.

La Prière de l'Eglise d'Orient. P. 1966. pp. 206.

The struggle with God. Glen Rock. 1966. pp. 298.

L'Art Sacré et l'Icône. P. 1967.

La Connaissance de Dieu selon la tradition orientale. Lyon. 1967. pp. 158.

ЕВДОКИМОВ, Павел Николаевич. =прод.=

L'Esprit Saint dans la Tradition Orthodoxe. P. 1970. pp. 111.
Le Christ dans la Pensée Russe. P. 1970. pp. 244.
L'Art de l'Icône, Théologie de la Beauté. Paris. 1970. pp. 301.
La Sainteté dans la Tradition de l'Eglise Orthodoxe. P. 1971.

Для статей см. Зан. I965.

ЕВЛОГИЙ. Митрополит. =Василий Семенович Георгиевский=. =I868 -I946=.

Родился IO апреля в семье священника в Тульской губ. Окончил Московскую Духовную Академию в I892 г. Принял монашество в I895 г. Посвящен в епископы в I903 г. Член Государственной Думы в I907. Архиеп. Холмский I9I2-I4 гг. Архиепископ Волынский I9I4-I9 гг. Покинул Россию в I920 г. Митрополит Западно-Европейских Русских Церквей, =I92I-I946=. Умер в Париже 8 августа.

О нашей православной русской церковности. Вюнсдорф. I922.
Путь моей жизни. Изложение Т. Манухиной. П. I947. стр. 676.

ЕЛЕВФЕРИЙ. Митрополит Ковенский и Литовский. =Богоявленский Дмитрий Яковлевич=. = ? -I940=.

Окончил Петербургскую Духовную Академию =I904=. Ректор Смоленской семинарии =I909=. Епископ Ковенский =I9II=. Окормлял до второй мировой войны эмигрантские приходы, подчинявшиеся митр. Сергию местоблюстителю патриаршего пристола. Умер 3I декабря.

Об искуплении. Письма к митр. Антонию Храповицкому в связи с его сочинениями "Догмат Искупления" и "Опыт христианского православного катехизиса". П.

ЕЛЕВФЕРИЙ. Митрополит. =прод.=

Соборность Церкви. =Божие и Кесарево.= П. 1938. стр. 349.

Е. Л. =Елена Николаевна Лопужанская=.

Епископы исповедники. Сан-Франциско. 1971. стр. 101.

ЕЛАЧИЧ, Алексей Кириллович. =1892- ? =.

Родился в Киеве. Приват-доцент Киевского университета =1918=. Доктор философии Люблянского университета =1924=. Профессор университета в Скоплье. Статьи на исторические и литературные темы. =Аввакум, Достоевский.= Депортирован в Советскую Россию, после занятия Белграда Красными и погиб там в лагере.

Русская революция и ее происхождение. =Хорват.= Загреб. 1925. стр. 194.
История России. =Серб=. Бл. стр. 300.
Чехословацкая история. =Серб=. Бл. 1930.
На прелому. =Серб=. Скоплье. 1933. стр. 80.
История Польшы. =Серб=. Скоп. 1933. стр. 112.
Русская социальная мысль XIX века. =Сер.= Бл. 1934. стр. 100.
Современная Чехословакия. =Сер.= Скоп. 1938. стр. 119.

Мат. Биб. I. Бл. =1931= и II. Бл. =1941=.

ЕЛЬЧАНИНОВ. Протоиерей Александр Викторович. =1881-1934=.

ЕЛЬЧАНИНОВ. Протоиерей. =прод.=

Родился I марта в Николаеве. Сын офицера. Окончил исторический факультет Петербургского университета. Отказался от академической карьеры и поступил в Московскую Духовную Академию. Секретарь Московского Религиозно-Философского Общества имени Вл. Соловьева 1905 г. Преподавал в гимназии Левандовского в Тифлисе. Покинул Россию в 1921 г. Поселился на юге Франции. Был руководителем Рус. Студ. Христ. Движения. Принял священство. Умер в Париже 24 августа.

Памяти отца Александра Ельчанинова. П. 1935.
Записи. П. 1935, 1962. Нем. пер. 1964.
The Diary of a Priest. L. 1967. 255 pp.

ЕЛЬЧАНИНОВ, Кирилл Александрович. =1923=.

Родился I апреля в Ницце. Сын священника. Окончил Богословский Институт в Париже в 1946 г. Преподаватель философии и апологетики в Институте с 1952 г. Секретарь юношеского отдела Рус. Студ. Христ. Движения =1949=. Генеральный секретарь Р.С.Х.Д. =1953=. Редактор журнала.

"La Jeunesse Orthodoxe."

ЖАБА, Сергей Павлович. =1894=.

Родился 25 февраля в Минске. Студент юридического факультета Петербургского университета. Член Соц.-Револ. Партии, =1915=. Заключен в тюрьму за защиту академического свободы против ленинистов, =1920-21=; бежал из России 1922. Журналист, живет во Франции.

Петроградское студенчество в борьбе за свободную школу. П.

ЖАБА, Сергей Павлович. =прод.=

I923. стр. 62.

Русские мыслители о России и человечестве. П. I954. стр. 288.

ЖЕВАХОВ. Князь Николай Давидович.

Товарищ Обер-Прокурора Синода, =I9I6-I7=. Жил в Бари и в Югославии. Накануне второй мировой войны переехал в Карпатскую Русь и там умер.

Воспоминания Обер-Прокурора Синода. т. I. М. I923. т. 2. Новый Сад. I928.

Еврейский вопрос. Н-Й. I926.

Сергей Александрович Нилус.

Памяти графа Череп-Спиридовича. Н-Й. I926.

Светлой памяти Винберга. П. I928.

Житие святителя Иоасафа Белгородского. Нов. Сад. I929.

Причина гибели России. Нов. Сад. I929.

Правда о Распутине. =На итальянском языке.= Бари. I930.

Беседа преп. Серафима с Мотовиловым. =На итальянском языке.=

Раб Божий Н. Н. Иваненко. Нов. Сад. I934.

Корни русской революции. Кишенев. I934.

Князь А. А. Ширинский-Шихматов. Нов. Сад. I934.

ЗАВАДСКИЙ, Сергей Владиславович. =I870-I935=.

Профессор Александровского Лицея. Преподавал на русском юридическом факультете в Праге. Статьи на темы русской литературы и культуры. Участвовал в составлении Словаря личных имен в произведениях Достоевского под ред. Бема.

Гражданское Право. I-6 томов. Пр. I923-26. стр. I500.

Статьи: Мат. Биб. I. Бл. =I93I=. Мат. Биб. II. Бл. =I94I=.

ЗАЙЦ. Протоиерей Кирилл. =I874-I945=

Настоятель Рижского кафедрального собора. Преподавал сектантоведение в Рижской Семинарии. Видный руководитель Рус. Студ. Христ. Движения в Прибалтике. Сотрудник журнала "Вера и Жизнь", издавашегося Латышской Православной Церковью в Риге на русском языке. Начальник Православной миссии в освобожденных от коммунистов областях России. Центр ее был в Пскове. Погиб в советской ссылке.

Церковь Бога Живаго. Столп и утверждение истины. =Собседования с баптистами.= Дж.

ЗАЙЦЕВ, Борис Константинович. =I88I-I972=.

Родился 29 января в Орле. Сын горного инженера. Учился в Горном институте в Петербурге и в Московском университете, но не окончил ни одного из них. Стал писать еще будучи студентом. Покинул Россию с семьей в I922 г. Сперва жил в Италии, переехал в Париж, где и умер 28 января. Среди его многочисленных произведений следующие выражают его православное мироощущение.

Преп. Сергий Радонежский. П. I925.
Алексей Божий Человек. П. I925.
Сердце Авраамия. П. I926.
Афон. П. I968. стр. I26.
Валаам. П. I936.
Река времен. П. I968. стр. 337.

ЗАКУТИН, Лев Григорьевич. =Отоцкий=. =I905=.

Родился I7 января в Петрокове =Польша=. Сын чиновника. Покинул Польшу в I922 г. Окончил гимназию в Данциге в I925 г.

ЗАКУТИН, Лев Григорьевич. =прод.=

Окончил Сорбонну в 1937 г. Доктор Сорбонны в 1953 г. Работает в Америке.

О чувстве и чувствительности. П. 1937. стр. 121.
Aphorismes tristes. P. 1950.
Записки к философии. П. 1954. стр. 82.
Филоссфемы и Символы. П. 1962. стр. 32. М. 1972.
На тему об искусстве. П. 1963. стр. 78.
Гносеологическая увертюра. М. 1971. стр. 79.

ЗАНДЕР, Валентина Александровна. урожд. Калашникова. =1894=.

Родилась 26 августа в Петербурге. Окончила Высшие Женские Курсы =1913=. Покинула Россию 1920. Переехала в Париж из Турции в 1923. Член Рус. Студ. Христ. Движения. Работала с мужем Л. А. как секретарь Движения в Латвии и Эстонии, =1929-31=. Секретарь Женских Богословских Курсов в Париже. Участница Экуменического Движения.

Валентина Калашникова. О русских православных братствах. Ш. 1925.
Les implications sociales de la Doctrine de la Trinité. P. 1936. pp.23.
La Fête de l'Epiphanie. Troyes. 1947. pp.19.
La Pentecôte. Troyes. 1948. pp. 20.
La Fête de Noël. Troyes. 1949. pp.16.
St. Seraphim of Sarov. P.=Б.Д.=pp. 64.
Seraphim von Sarov. Düsseldorf. 1965.
Христос-Новая Пасха. Брюссель. 1967. стр. 32.

ЗАНДЕР, Лев Александрович. =1893-1964=.

Родился 19 февраля в Петербурге. Окончил Имп. Александров-

ЗАНДЕР, Лев Александрович. =прод.=

ский Лицей и Петербургский университет в 1913 г. Учился в Германии, =1913-1914=. Участвовал в войне =1914-17 гг.=. Преподавал философию во Владивостокском университете, =1919-20=. Покинул Россию в 1922 г. В 1923 г. переехал из Китая в Чехию. Секретарь Рус. Студ. Христ. Движения. Работал во Франции, Латвии и Эстонии. Член Содружества св. Албания и преп. Сергия. Видный деятель Экуменического Движения. Огранизатор поездок православного хора по Европейским странам. Лектор о православии в Германии и Швейцарии. Умер в Париже 17 декабря.

Биография о "Вестнике Р.С.Х.Д.". №№ 75-76. 1965.
К. Леонтьев и Прогресс. Пекин. 1921.
Dostoevsky. L. 1948. pp. 140.
Бог и мир =Миросозерцание о. С. Булгакова=. т. I, стр. 479. т. 2, стр. 386. 1948. Нем. пер. 1952.
Evangelisches und Orthodoxes Christentum. Hamburg. 1952.
L'Orthodoxie occidentale. P. 1958. Нем. пер. 1959. Англ. 1960.
Тайна добра. Проблема добра в творчестве Достоевского. Франкф. 1959. стр. 154.
Vision and Action. L. 1952. pp. 229. Нем. пер. 1959.
Images grecques. P. 1961.
Sammelband. Marburg. 1966.

Для его статей смотри: Зан. 1932, 1937, 1947, 1954, 1965. Мат. I. Биб. =1931=. Мат. Биб. II. Бл. =1941=.

ЗВЕГИНЦЕВА, Екатерина Михайловна. =урожденная Свербеева=. =1879-1948=.

Родилась в Петербурге. Происходила из старинной московской семьи, дружившей со "столпами" православия-Хомяковыми, Самариными, Трубецкими и Аксаковыми. Муж ее, Александр Иванович

ЗВЕГИНЦЕВА, Екатерина Михайловна. =прод.=

Звегинцев был член Государственной Думы и был убит в ноябре 1915 г. Покинула Россию после революции и поселилась в Лондоне. Умерла в Оксфорде.

Our Mother Church. L. 1948. 126 pp. (3 editions).

ЗЕНЬКОВСКИЙ. Протоиерей Василий Васильевич. =1881-1962=.

Родился 4 июля в Проскурове. Окончил гимназию в Киеве. Под влиянием Писарева стал атеистом в 15 лет. Изучал естественные науки и психологию в Киевском университете. Вернулся в Церковь под влиянием Влад. Соловьева. Профессор психологии, =1915-19=. Член Украинского Церковного Собора, =1919=. Профессор философии Белградского университета, =1920-23=. Директор Педагогического Института, Прага, =1923-26=. Профессор Богословского Института в Париже, =1926-62=. Рукоположен в 1942 г. Председатель Рус. Студ. Христ. Движения, =1923-62=. Умер в Париже 5 августа. "Вестник Р.С.Х. Движения" №№ 66-67 посвящен его памяти. =1963 г.=

Психология детства. Б. 1923. Серб. и польск. пер. 1955. стр. 279.

Русские мыслители и Европа. П. 1926. Англ. пер. Мичиган. 1952. Серб. пер.

Вопросы пола. П. 1926. стр. 71.

Дар свободы. П. =Б.Д.=, стр. 23.

О чуде. П. 1928.

На пороге зрелости. П. 1929, 1953.

Проблема воспитания в свете христианской антропологии. П. 1934. стр. 267.

История Русской Философии. I т. 1948, стр. 469. 2 т. 1950, стр. 477. Англ. пер. 1953. Фр. пер. 1953-55.

Das Bild des Menschen in der Ostlichen Kirch. Stuttgart. 1953.

ЗЕНЬКОВСКИЙ. Протоиерей. =прод.=

Grundlagen der Orthodoxen Anthropologie. Stuttgart. 1953.
Наша эпоха. П. I955. стр. 47.
О мнимом материализме русской науки и философии. М. I956. стр. 72.
Апологетика. П. I959. стр. 260.
Русская Педагогика XX века. П. I960.
Н. В. Гоголь. П. I96I. стр. 262.
Основы христианской философии. т. I. Франкфурт. I96I. стр. I49. т. 2. П. I964. стр. I86.
Редактор "Вопросов Религиозного воспитания и образования." I-III. П. I927-28, и "Биллютень Религиозно-Педагогического Кабинета".

Для статей смотрите: Зан. I932, I937, I947, I954, I965. Мат. Биб. I. Бл. =I93I=, Мат. Биб. II. Бл. =I94I=.

ЗЕНЬКОВСКИЙ, Сергей Александрович. =I907=.

Родился I6 июня в Киеве. Покинул Россию в I920. Окончил Сорбонну =I930=. Доктор Пражского университета, =I942=. Преподает в различных американских университетах: Индиана, Харвард, Колорадо, Стэтсон =Флорида=, Вандербилт.

Русская политика в Синкянге. =I856-I9I4=. Пр. I942. стр. 272.
The Old Believer Avvacum. Ind. Slav. Stud. Bloom. 1956. 51 pp.
Pan-Turkism and Islam in Russia. Cam., Mass. 1960. 345 pp. 2 изд. Турец. пер. I97I.
Medieval Russia's Chronicles. N.Y. 1963. 436 pp. =3 изд.=.
Die Literatur des Mittelalterischen Russlands. M. 1968. 730 pp.
Русское старообрядчество. М. I970. стр. 528.
Guide to the Bibliographies of Russian Literature. Vanderbilt Press. 1970. 62 pp.

ЗЕРНОВ, Николай Михайлович. =1898=.

Родился 9 октября в Москве. Сын врача. Покинул Россию в 1921 г. Окончил богословский факультет Белградского университета в 1925 г. Секретарь Рус. Студ. Христ. Движения, =1925-32=. Первый редактор "Вестника Р.С.Х.Д.", =1925-29=. Секретарь и Вице-Председатель Содружества св. Албания и преп. Сергия, =1935-47=. Доктор философии Оксфордского университета, =1932=. Лектор о Восточной Православной культуре в Оксфордском университете, =1947-66=. Ректор Католикатного колледжа в Южной Индии. Профессор экуменического богословия в Дрю, Айова и Дюк университете =Америка=. Директор дома св. Григория Нисского и св. Макрины, Оксфорд. Доктор богословия Оксфордского университета, =1966=.

Moscow the third Rome. L. 1937. 112 pp. =5 изд.=.

St. Sergius Builder of Russia. L. 1939. 155 pp.

The Church of the Eastern Christians. L. 1942. 114 pp. =4 изд.=

Three Russian Prophets (Khomiakov, Dostoevsky, Soloviev). L. 1944. 171 pp. =Норв. пер.= Переиздано США, 1973.

The Russians and their Church. L. 1945. =4 изд.=. стр. 196; греч. пер. 1972.

The Reintegration of the Church. L. 1952. 128 pp.

Ruslands Kirke og Nordens Kirker. Copenhagen. 1954. =Швед. изд. 1955. Финск. изд. 1958=.

Вселенская Церковь и Русское Православие. П. 1952. стр. 315.

The Christian East. Delhi. 1956. 138 pp.

Eastern Christendom. L. 1961. 326 pp. =Итал. и исп. переводы. 1962=.

Orthodox Encounter. L. 1961. 200 pp.

The Russian Religious Renaissance of the XX Century. L. 1963. 410 pp.

На Переломе. =ред.= П. 1970. стр. 478.

За рубежом. =ред.= П. 1973. стр. 520.

Русские Писатели Эмиграции: биографические сведения и библиография их книг по богословию, религиозной философии, истории Церкви и православной культуре. Бостон. 1973.

ЗЕРНОВ, Николай Михайлович. =прод.=

Русское религиозное возрождение XX века. П. 1973.

Для статей см. Зан. 1937. Мат. Биб. II. Бл. =1941=.

ЗУБОВ, Петр Петрович. = ? -1964=.

Окончил училище Правоведения в Петербурге. Был принят в Кавалергардский полк и сражался как в первую мировую войну так и в армии Юденича. После поражения Белого Движения жил в Эстонии. В 1931 г. переехал в Соединенные Штаты. Преподавал русский язык в Морской Академии в Вашингтоне и принимал деятельное участие в церковной жизни. Доктор философии Колумбийского университета =1943=. Умер 26 октября в Вашингтоне.

Soloviev on Godmanhood. Poughkeepsie. N.Y. 1944. pp. 233.

ЗЫЗЫКИН, Михаил Васильевич. =1880-1960=.

Покинул Россию в 1920 г. Преподавал в Софии, потом был профессором православного факультета в Варшаве. Умер в Аргентине.

Царская власть и закон о престолонаследии в России. София. 1924. стр. 192.
Патриарх Никон. т. I и т. 2. Вар. 1931. стр. 327 и 384. т. 3. Вар. 1939. стр. 365.
О церковной самостоятельности. Вар. 1932. стр. 58.
О каноническом положении правящего епископа. Вар. 1933.
Философия власти в свете христианской социологии. Вар. 1934. стр. 66.
Международное общение и положение в нем человеческой личности. Вар. 1934. стр. 78.

ЗЫЗЫКИН, Михаил Васильевич. =прод.=

Тайна Александра Первого. Буэнос-Айрес. I952.
Церковь и международное право. Вар. I937, польск. пер. I937, фран. Брюссель. I940. стр. 2I8.

Мат. Биб. I. Бл. =I93I= и II. Бл. =I94I=.

ИВАНОВ, Петр Константинович. =I876-I956=.

Родился I0 февраля в Черкассах. Окончил Московский университет, =I90I=. Занимался журналистикой. В эмиграции писал на богословские темы. Принимал участие в работе религиозно-философской академии в Париже. Умер I5 июля.

Смирение во Христе. П. I925. стр. I58.
Тайна Святых. П. I949. стр. 602.

ИВАНОВСКИЙ, А. А.

Знание и Жизнь =о совершенной и бесконечной Свободе=. М. I946. стр. I5.

ИЗВОЛЬСКИЙ. Протоиерей Петр Петрович. =I856-I928=.

Видный государственный деятель. Попечитель учебного округа, товарищ Министра Просвещения, Обер-Прокурор Синода, =I906-9=. Принял священство в Эмиграции в I922. Настоятель прихода в Брюсселе. Друг кардинала Мерсье, =I85I-I926=. Умер 9 декабря под Парижем. Некролог об Извольском был написан кн. Г.Н.

ИЗВОЛЬСКИЙ. Протоиерей. =прод.=

Трубецким.

"Вестник Р.С.Х.Д." № I-2. =1929=.
К вопросу о соединении Церквей. М. 1922. стр. 12.

ИЛЬЕНКО. Протоиерей Виктор. =1894=.

Родился 10 ноября в селе Осиновка Приморской области. В 1916 г. окончил Иркутскую Семинарию и поступил в Московскую Духовную Академию. Покинул Россию в 1920 г. С 1921 по 1929 г. был псаломщиком и регентом сначала в Константинополе, а потом в Риме. Рукоположен в 1929 г. и настоятельствовал в приходах в Тарасконе, в Брюсселе и Голландии. С 1953 по 1966 г. был настоятелем Преображенской Церкви в Лос-Анжелосе. С 1966 настоятель церкви в Риме. Будучи в Брюсселе издал 79 номеров "Приходского Листка".

Краткий Катехизис. 1947. стр. 39.
Избранные Жития Святых, рассказанные для детей среднего возраста. Выпуск I. Лос-Анжелос. 1956. стр. 101.
Избранные Жития. Выпуск II. Лос-Анжелос. 1958. стр. 86.
Избранные Жития. Выпуск III. Лос-Анжелос. 1963. стр. 101.
Молитвы читаемые с коленопреклонением в праздник Пятидесятницы. =В русском переводе.= Лос-Анжелос. 1963. стр. 23.
Сто слов и поучений. Лос-Анжелос. 1964. стр. 255.
Жизнь о. Иоанна Кронштадского рассказанного для детей Д.М. Араповой. Лос-Анжелос. 1960. стр. 42.

ИЛЬИН, Владимир Николаевич. =1891=.

Родился 16 августа около Киева. Окончил Киевский университет: по естествознанию в 1913, по философии в 1917. Покинул Рос-

ИЛЬИН, Владимир Николаевич. =прод.=

сию в 1919. Преподавал богословие в Берлине и в Париже. Музыковед. Лектор на съездах Рус. Студ. Христ. Движения.

Св. Серафим Саровский. П. 1925. стр. 206. Н-Й. 1971.
Запечатанный Гроб - Пасха Нетления. П. 1926. стр. 128.
Всенощное Бдение. П. 1927. стр. 220.
Загадка жизни. П. 1929. стр. 116.
Материализм и материя. 1928. стр. 32.
Атеизм и гибель культуры. 1929. стр. 30.
Шесть дней Творения. П. 1930. стр. 230.
Арфа Царя Давида в Русской Поэзии. Брюссель. 1960. стр. 76.

Для статей см. Зан. 1954. Мат. Биб. I. Бл. =1931=.

ИЛЬИН, Иван Александрович. =1883-1954=.

Родился в Москве 28 марта. Кончил Московский университет по юридич. и истор. фил. факультету, =1912=. Приват-доцент Московского университета. Профессор философии Московского университета, =1918-22=. Выслан из России в 1922 г. Редактор "Русского Колокола", Б. 1927-30. Преподавал в Берлине. В 1958 г. переехал в Швейцарию, где и умер 21 декабря в Цюрихе.

Проблема современного правосазнания. Б. 1923.
Религиозный смысл философии. Ш. 1925. стр. 114.
О сопротивлении злу силою. Б. 1925.
Родина и мы. Бел. 1925. стр. 16.
Welt vor dem Abgrund. Berlin. 1931.
Яд Большевизма. Женева. 1931.
О России. София. 1934.
Путь духовного обновления. Б. 1937. стр. 270.
Пророческое призвание Пушкина. Рига. 1937. стр. 45.
Основы художества. Рига. 1937.

ИЛЬИН, Иван Александрович. =прод.=

Основы христианской культуры. Женева. I937. стр. 47.
Основы борьбы за Национальную Россию. Нарва. I938.
Ich schaue ins Leben. B. 1938.
Die Ewigen Grundlagen des Lebens. Zürich. 1939.
Wesen und Eigenart des Russischen Kultur. Zürich. 1942.
Blick in der Ferne. Zürich. 1945.
Die Philosophie Hegels. Bern. 1946.
Аксиомы религиозного опыта. П. т. I и II. I953.
О сущности правосознания. Мюн. I956. стр. 223.
Путь к очевидности. М. I957. стр. I55.
Поющее сердце. М. I958. стр. I54.
О тьме и просветлении. М. I959. стр. I96.
Наши задачи. I и II тт. П. I956.

Мат. Биб. I. Бл. =I93I= и II. Бл. =I94I=.

ИННОКЕНТИЙ. Митрополит Пекинский. =Иоанн Аполлонович Фигуровский=. =I863-I93I=.

Родился 22 февраля в Енисейской губернии. Сын священника. Рукоположен в возрасте 2I г. В I884 г. получил приход в Енисейской губернии. Овдовев через год, поступил в Петербургскую Духовную Академию. Окончив ее в I888 г., принял монашество и был послан миссионером в Китай, =I896=. Начальник Пекинской миссии в I900. Возведен в сан епископа в I902 г. Знаток китайского языка и переводчик богословских книг. Составил русско-китайский словарь.

О Церкви. Пекин. I925.

ИОАНН. Архиепископ. =Михаил Борисович МАКСИМОВИЧ=. =I896-I966=.

ИОАНН. =Михаил Борисович МАКСИМОВИЧ=. =прод.=

Родился в Изюмском уезде Харьковской губернии. Сын генерала. Окончил юридическии факультет Харьковского университета. Окончил богословский факультет Белградского университета. В 1926 г. - принял монашество. Епископ Шанхайский =1934 г.=. После ряда лет, проведенных во Франции, переехал в Америку, =1962=. Архиепископ Сан-Францисский в юрисдикции Заграничного Синода. Умер в Сеатле 2 июля на молитве в своей кельи.

Духовное состояние Русской эмиграции. Бл. 1938.

ИОАНН. Архиепископ Сан-Францисский и Западно-Американский. =Шаховской Дмитрий Алексеевич, Князь=. =1902=.

Родился 23 августа в Москве. Учился в Императорском Александровском Лицее. Покинул Россию в 1920 г. Закончил свое образование в Париже и Лувене. Студентом издавал журнал "Благонамеренный". Постригся на Афоне 5 сентября 1926 г. Рукоположен в 1927 г. в Белой Церкви =Югославия=. Настоятель Свято-Владимировского храма в Берлине, =1932-1945=. Во время войны вел миссионерскую работу среди русских военнопленных. Посвящен в епископа Бруклинского в 1947 г. В 1950 возведен в сан Архиепископа Сан-Францисского. Видный участник Экуменического Движения.

Книги.

Белое иночество. Б. 1932. стр. 88.
Жизнь. Б. 1935. стр. 65.
Философия православного пастырства. Б. 1938. стр. 167.
Летопись. № 1 и № 2. Б. 1936-37.
Путь на север. Б. 1938. стр. 62.
Толстой и Церковь. Б. 1939. стр. 203.
Время веры. Н-Й. 1954. стр. 405.

ИОАНН. =Шаховской Дмитрий Алексеевич, Князь=. =прод.=

Записи о любви к Богу и человеку. Н-Й. 1959. стр. 114.
Письма о вечном и временном. Н-Й. 1960. стр. 258.
Листья древа. Н-Й. 1963. стр. 404.
Книга свидетельств. Н-Й. 1965. стр. 377.
Московский разговор о бессмертии. Н-Й. 1972. стр. 300.

Брошюры.

Церковь и мир. Белая Церковь. 1929. стр. 50.
Слава Воскресению. Белая Церковь. 1930. стр. 48.
Почему я ушел из юрисдикции митроп. Антония. П. 1931.
Воля Божия и воля человеческая. Б. 1937. стр. 36.
Возможно ли братство религий? П. 1934.
Пресвятая. Б.
Размышления о религиозности Пушкина. Б. 1938.
О прославлении о. Иоанна Кронштадского. Б. 1938.
Разговор семи православных о Софии. Б. 1936.
Пророческий дух в русской поэзии. Таллин. 1938. 40 стр.
О перевоплощении. П. 1938.
Правило духа. П. 1938.
Испанские письма. Б. 1939.
Семь слов о стране гадаринской. Б. 1939. стр. 40.
Сирены. Брюссель. 1940. стр. 19.
Тайна Церкви. Н-Й.
Слово при наречении во епископа Бруклинского. Н-Й. 1947. стр. 27.
Десять слов о вере. Буэнос-Айрес. 1950.
Человек и страх. Н-Й. 1948. стр. 51.
Епископы, священники, миряне. Н-Й. 1948.
Еще некоторое прикосновение к ранам. Н-Й. 1956. стр. 15.
Русская Церковь в СССР. Н-Й. 1956.
Сеть. Сан-Франциско. 1957.
Православие в Америке. Н-Й. 1963. стр. 24.
Письма к верующим. Сан-Франциско. 1962.

ИОАНН. =Шаховской Дмитрий Алексеевич, Князь=. =прод.=

Диалог с церковной Россией. П. I967. стр. II3.
Утверждение поместной Церкви. Н-Й. I97I. стр. 24.

Ряд произведений Архиепископа Иоанна переведены на английский, немецкий, сербский и японский языки.

ИОАНН. Епископ. =Евграф Евграфович КОВАЛЕВСКИЙ=. =I905-I970=.

Родился 26 марта в Санкт-Петербурге. Покинул Россию в I920 г. Окончил Сорбонну и Богословский Институт в Париже. Рукоположен в священники в I937 г. Основал и возглавлял Православный Институт =французский= св. Дионисия с его основания в I947 г. до своей кончины. Доктор Богословия "Онорис кауза" Московского Патриархата =вместе с В. Н. Лосским и В. Н. Ильиным=. Хиротонисан во епископа Сен-Денисского в Сан-Франциско в I964 г. Возглавлял Французскую Православную Церковь до своей кончины. Умер в Париже 30 января. Его памяти посвящен №№ 9-I0 "Présence Orthodoxe", P. 1970, а также книга "Jean de Saint Denis", P. 1970.

Le pouvoir souverain dans l'Eglise. Paris. 1948.
La Sainte Messe selon le rite des Gaules. Paris. 1956.
Homélies. (nouvelle edition.) Paris. 1971. Vol. I. 106 pp.
Genèse (cours professé à l'Institut St. Denis). 192 pp.
Mariologie. (Ibid.)
Technique de la Prière. (Edité par l'Institut St. Denis et par "Présence Orthodoxe". Nouvelle édition 1971. 218 pp.
"Auferstehung und zukünftige Welt." Oecumenische texte und Studien Edel Verlag. Marburg. 1959.
"Arbeit, Ruhe, Gebet." (Ibid.) 1964.
Многочисленные статьи на французском и немецком языках в "Cahiers Saint Irénée" и в "Présence Orthodoxe" и в других журналах.

КАНДИНСКИЙ, Василий Васильевич. =I866-I944=.

Родился в Москве. Окончил юридический факультет Московского университета. Оставил научную карьеру ради живописи. Изучал ее в Мюнхене, =I898-I900=. Создал там же свою школу, =I902-I9I4=. Основоположник абстрактной живописи. Вернулся в Германию в I92I г. и до I933 преподавал в Веймаре. Переселился во Францию, где и умер.

Über das Geistige in der Kunst. Издано в I9II году и с тех пор переведено на большинство европейских языков.
On the Spiritual in Art. N.Y. 1946. Рус. пер.
О духовном в искусстве. Н-Й. I967. стр. I50.
Essai uber der Kunst und Kunstler.

КАРПОВ, Андрей Федорович. =I902-I937=.

Родился в Москве. Покинул Россию в I920. Принимал участие в Рус. Студ. Христ. Движении и Содружестве св. Албания и преп. Сергия. Был обещающим философом. Умер в Париже 5 октября.

Диалоги Платона. П. I938. стр. 288.

КАРПОВИЧ, Михаил Михайлович. =I887-I959=.

Окончил гимназию в Тифлисе и исторический факультет Петербургского университета. Еще гимназистом вступил в партию социал-революционеров. Переменил свое мировоззрение под влиянием начавшегося религиозно-художественного пробуждения русской интеллигенции. Преподавал историю в университете с I9I4 г. В I9I7 г. был приглашен войти в состав русской дипломатической миссии в Соединенных Штатах. В I927 г. начал преподавать русскую историю в Харвардском университете. Профессор до I957 г. Директор славянского отдела =I949-I954=. С I943 по I959

КАРПОВИЧ, Михаил Михайлович. =прод.=

редактор "Нового Журнала". Со-редактор с профессором Вернадским A History of Russia. 3 vols. Yale Univ. Press.

Один из наиболее влиятельных представителей русской культуры в Америке. № 58 =1959= "Нового Журнала" посвящен памяти Карповича.

Imperial Russia. N.Y. 1944.
A Lecture on Russian History. Gravenhage. 1952.

КАРСАВИН, Лев Платонович. =1882-1952=.

Родился 13 декабря в Петербурге в семье балетмейстера. Профессор Средневековой истории Петербургского университета. Выслан из России 1922. Один из основателей Евразийского движения. В 1928 получил кафедру в Ковно, где стал специалистом по литовской культуре. Сослан в концентр. лагерь коммунистами после занятия Литвы красной Армией. Умер в заключении 12 июля.

Его последние годы жизни и смерть описаны в Orientalia Christiana. Periodica. XXIV. Roma. 1958. Биография и библиография в Вестнике Р.С.Х.Д. № 104-105. П. 1972.
Noctes Petropolitanae. Б. 1922. стр. 203.
Джордано Бруно. Б. 1923. стр. 276.
Философия Истории. Б. 1923. стр. 358.
Диалоги. Б. 1925. стр. 112.
О началах. Б. 1925. стр. 184.
О сомнениях в науке и вере. П. 1925. стр. 23.
Первые принципы. Б. 1925.
Св. Отцы и Учители Церкви. П. 1926. стр. 270.
Церковь, Личность и Государство. П. 1927. стр. 30.
Личность. Каунас. 1929. стр. 224.
Поэма о смерти. Каунас. 1932. стр. 80.

КАРСАВИН, Лев Платонович. =прод.=

Istorijos Teorija Kaunas. 1929.

Мат. Биб. I. Бл. I93I.

КАРТАШЕВ, Антон Владимирович. =I875-I960=.

Родился II июля в Киштьме, на Урале, в семье рудокопа. Окончил Пермскую семинарию =I894=. Петербургскую Духовную Академию =I899=. Преподавал церковную историю, =I900-05=. Ушел из Академии и преподавал на Женских Высших курсах, =I906-I8=. Председатель Религиозно-Философского Общества в Петербурге =I909=. Последний Прокурор Св. Синода. Первый Министр Вероисповеданий Временного Правительства =I9I7=. Бежал из России в январе =I9I9=. Профессор Богословского Института в Париже, =I925-60=. Видный церковный и общественный деятель. Умер в Париже I0 сентября.

Реформы, реформация и исполнение Церкви. Б. I922. стр. 66.
На путях к Вселенскому Собору. Париж. I932. стр. I32.
Св. Вел. князь Владимир. П. I939. стр. 24.
Ветхозаветная библейская критика. П. I947. стр. 250.
Воссоздание Святой Руси. П. I956. стр. 258.
Жизненный путь митрополита Владимира. П. I957. стр. I6.
История Русской Церкви. I и II т. П. I959. стр. 68I и 589.
Вселенские Соборы. П. I963. стр. 80I.
Святая Русь в путях России. П. стр. 24.
Церковь и государство. П. I932. стр. 20.

Зан. I932, I937, I947, I954, I965. Мат. Биб. I. Бл. =I93I= и II. Бл. =I94I=.

КАССИАН. Епископ. =БЕЗОБРАЗОВ, Сергей Сергеевич=. =I892-I965=.

КАССИАН. Епископ. =прод.=

Родился в Петербурге 29 февраля. Окончил Петербургский университет в 1914. Профессор Туркестанского университета, =1918-1920=. Преподавал в Православном Богословском Институте в Петрограде, =1921-22=. Бежал из России в 1922. Преподавал в Белграде, =1923-24=. Профессор Богословского Института в Париже, =1925-65=. Принял монашество =1932=. Посвящен в епископа =1947=. Во время войны жил в Пантелеймоновском монастыре на Афоне. Видный участник Рус. Студ. Христ. Движения. Содружества св. Албания и преп. Сергия Радонежского и Экуменического Движения. Умер 4 февраля в Париже.

Евангелие от Матфея и Марка. П. 1931.
Евангелие от Луки. П. 1932.
Евангелие от Иоанна. П. 1932.
La Pentecôte Johannique. Valence. 1939.
Царство кесаря перед судом Нового Завета. П. 1949. стр. 50.
Христос и первохристианское поколение. П. 1950. стр. 370.
La prière des heures. P. 1962.

Зан. 1932, 1937, 1947, 1954, 1965. Мат. Биб. I. Бл. =1931= и II. Бл. =1941=.

КЕДРОВСКИЙ. Протоиерей Вениамин. =1888- ? =.

Родился 28 августа. Сын священника. Окончил Вологодскую семинарию. Рукоположен арх. Александром Северо-Американским в 1911 году. Настоятель прихода в Гери штата Индиана.

На ниве Божией. Southbury, Conn. 1932. стр. 217.

КИПРИАН. Архимандрит. =Керн, Константин Эдуардович=. =1899-1960=.

КИПРИАН. Архимандрит. =прод.=

Родился в Туле II мая. Окончил юридический и богословский факультеты Белградского университета в I925 г. Принял монашество в I927. Рукоположен в том же году в иереи. Преподавал в Битольской семинарии в I925-28 гг. и снова в I93I-36. Начальник русской миссии в Иерусалиме, =I928-30=. Профессор Богословского Института в Париже, =I936-I960=. Инициатор международного семинара по литургике при Сергиевском подворье. Умер в Париже II февраля.

Крины молитвенные. Бл. I928. стр. 208.
О. Антонин Капустин. Бл. I934. стр. I95.
Ангелы, иночество, человечество. П. I942. стр. I6.
Евхаристия. П. I947. стр. 35I.
Антропология св. Григория Паламы. П. I950. стр. 444.
Православное пастырское служение. П. I957. стр. 253.
Из неизданных писем К. Леонтьева. П. I959. стр. 3I.
Памяти архимандрита Антонина Капустина. П. I965. стр. I6.
Золотой век святоотеческой письменности. П. I967. стр. I77.
Les traductions russes des textes patristiques. Chevtogne. 1957.

Для статей см. Зап. I954, I965, и Мат. Биб. II. Бл. =I94I=.

КЛЕПИНИН, Николай Андреевич. =I899-I939=.

Родился I7 января, в Пятигорске. Сын архитектора. Покинул Россию в I920 г. Учился в Белграде. Участвовал в Рус. Студ. Христ. Движении. Переехал во Францию в I926 г. Работал с ИМКА-Пресс. Присоединился к Евразийскому Движению Вернулся в Россию в I937 г. Погиб в концентрационном лагере.

Памяти игумени Екатерины =Ефимовской=. П. I926.
Св. Александр Невский. П. I927. стр. 202.

КНЯЗЕВ, Алексей Петрович. Протоиерей. =I9I3=.

Родился в Баку 4 апреля в семье горного инженера. Приехал во Францию в I923 г. Окончил юридический факультет Парижского университета =I935=, Богословский Институт =I943=. Рукоположен =I947=. Профессор Ветхого Завета =I960=. Декан Института =I962=. Духовный руководитель лагерей Рус. Студ. Христ. Движения во Франции.

Многочисленные статьи на богословские и церковно-канонические темы.

См. Зан. I954, I965.

КОВАЛЕВСКАЯ, Инна Владимировна. =урожденная Стрекалова=. =I877-I96I=.

Родилась 22 января в Петербурге. Окончила там же Высшие Женские Курсы и преподавала на них историю. Принимала деятельное участие в просветительной и церковной работе своего мужа, Е. П. Ковалевского. В эмиграции преподавала русский язык во французских лицеях и занималась журналистикой. Умерла в Париже 29 декабря.

Книга утешения и мудрости. =В. Соловьев.= П. I922.
Хомяков, как учитель Церкви. П. I924.
В I928 году перевела на французский язык книгу Б. Зайцева "Св. Сергий Радонежский".

КОВАЛЕВСКИЙ, Евграф Петрович. =I865-I94I=.

Родился 30 декабря в Петербурге. Окончил юридический факультет Московского университета =I887=. Член ученого комитета Министерства Народного Просвещения. Председатель комисси и по народному образованию в 3 и 4 Думе. Автор закона о всеобщем образовании в Российской Империи =I9I2=. Член Собора I9I7-I8 года. Играл видную роль в церковной и общественной жизни русской колонии во Франции. Организовал преподавание русского языка во французских школах. Умер I-го марта.

Нравственное оздоровление России. П. I922.
Вера, верность и воля. П. I922.
Великий, благословенный старец. П. I926.
Русская школа под игом большевиков. П. I928. Англ. пер.
Развал коммунизма и долг эмиграции. П. I928.
Русское земство. П. I934.
Национальная идея. П. I934.
La part à faire à la discipline et à l'autonomie dans l'education morale. P. 1931.
La tradition de la famille comme moyen d'education. Brux. 1935.
Мат. Биб. I. Бл. =I93I=, II. БЛ. =I94I=.

КОВАЛЕВСКИЙ, Павел Иванович. =I850-I930=.

Родился в Харькове и там же окончил медицинский факультет. Профессор психиатрии, =I879-I894=. Ректор Варшавского университета =I894=. Главнейшие работы: Судебная психиатрия =I896=, Сифилис Мозга =I890=, Мигрень =I893=. Написал ряд книг по психологии исторических лиц: Петра Великого, Иоанна Грозного и других. Первый определил прогрессивный паралич у Ленина. Умер в Бельгии.

Национализм и национальное воспитание. Н-Й. I922.
Наука, Христос и Его учение. Брюссель. I928.
Мат. Биб. I. Бл. =I93I=.

КОВАЛЕВСКИЙ, Петр Евграфович. =I90I=.

Родился I6 декабря в Петербурге. Покинул Россию в I920 г. Окончил Сорбонну в I925. Доктор историко-филол. наук =I926=. Преподавал во французских лицеях,в Богословском Институте, в Институте св. Дионисия, в Русском Научном Институте, в Новой Сорбонне. Руководитель Рус. Студ. Христ. Движения. Активный участник церковной общественной жизни русского Парижа. Автор более 200 статей в русских и французских журналах и газетах. Его биобиблиография вышла в Париже в I972 г.

N. Leskov. P. 1926. 268 pp.
Manuel de l'Histoire Russe. P. 1948. 350 pp.
Исторический путь России. П. I949. стр. I30.
Русское рассеяние =БД.= La dispersion russe. Chauny. 1951. 44 pp.
Род Ковалевских. П. I95I. стр. 44. Фр. пер. I954.
Exposé de la Foi Catholique-Orthodoxe. P. 1957.
St. Serge et la Spiritualité Russe. P. 1958. 190 pp. Исп. пер.
Наши достижения. М. I960. стр. 55.
L'Atlas Culturel et Historique de la Russie et du Monde Slave. P. 1961. 217 pp. 300 illustrations. Нем. пер.
Histoire de la Russie et de l'URSS. P. 1970. 420 pp.
Зарубежная Россия. П. I97I. стр. 347.

Зан. I937, I947, I954. Мат. Биб. I. Бл. =I93I= и II. Бл. =I94I=.

КОВАЛЕНСКИЙ, Н. =псевдоним Бориса Николаевича Компанейского=. =I885-I965=.

Родился I8 ноября в Петербурге. Сын композитора церковной музыки. Окончил Петербургский университет физико-математич. факультет =I908=, и историко-филологич. факультет Московского университета =I924=. Специализировался на психо-физиологии зрительных восприятий. =I926-I930=, Академия Художественных

КОВАЛЕНСКИЙ, Н. =прод.=

Наук Москва, научный сотрудник психологической лаборатории. =1930-1941=, Профессор Ленинградского Высшего Педагогического Института имени Герцена. =1938-1941=, Всероссийская Академия Художеств. Профессор теории восприятия цвета в живописи и в архитектуре. Одновременно заведующий лабораторией цвета в Институте по изучению мозга имени Бехтерева. Эмигрировал в 1942. =1942-43=, Берлин. Профессор Института по испытанию материалов. =1943-44=, Венский университет, заведующий лабораторией по изучению цвета. 1944-46, Инсбрук, профессор психологического института. 1948-56, университет города Ла Плата =Аргентина=, профессор и заведующий лабораторией по исследованию цвета и света. Умер в Аргентине.
Многочисленные статьи по специальности на русском и иностранных языках и ряд изобретений в области оптических аппаратов. Литературные, публиститеческие и апологитические произведения появились под псевдонимом Коваленский. Большинство их было напечатано в различных журналах. Отдельными книгами вышли:

Записки безбожника. =Апологический этюд.= Дж. 1948.
Отец Александр. Дж. 1948.
Культура души и культура духа. Буэнос Айрес. 1965. стр. 110.

КОЛЕСНИКОВ. Протоиерей Александр. =1891-1958=.

Умер в Джорданвилле 5 августа.
Church people I met in jail in the thirties. Jordanville. 1952.

Тюремные встречи с церковными людьми. =30-тые годы=. Дж. 1950.

Тайновидец Будущего. Дж. 1962. стр. 62.

КОЛЧЕВ. Протоиерей Леонид. =1871-1944=.

КОЛЧЕВ. Протоиерей. =прод.=

=Дополнительная информация находится в приложении стр. I54.

Первая книга по Закону Божию. стр. 96.
Тайны загорбной жизни. Копенгаген. I934. стр. 58.

КОНДАКОВ, Никодим Павлович. =I844-I925=.

Родился I ноября в Курской губернии. Сын крепостного крестьянина. Окончил Московский университет в I865 г. Профессор Новороссийского университета, =I870-I9I9=. Академик =I898=. Профессор Софийского университета =I920-23=, Пражского =I923-25=. Умер в Праге.

Биография и библиография Кондакова были изданы в Москве в I925 году Виктором Лазоревым. Смотри также "Сборник статей, посвященных памяти Кондакова". Пр. I926, и Мат. Биб. I. Бл. =I93I=.

Воспоминания и думы. Пр. I927.
Русская икона. Пр. т. I. I928, т. II. I929.
Очерки и заметки по истории средневекового искусства и культуры. Пр. I929. стр. 455.
The Russian Ikon. Oxf. 1927. pp. 226.

КОНОВАЛОВ, Виктор Андреевич. =I890-I97I=.

Миссионер в Канаде. В монашестве архимандрит Амвросий. Умер в Джорданвилле 27 февраля.

Отношение христианина к советской власти. Сао Паоло. =Бразилия= I937.

КОНСТАНТИН. Архимандрит. =Зайцев, Кирилл Иосифович=. =I887=.

Родился 28 марта. Окончил экономическое отделние Петербургского Политехнического Института и юридический факультет Петербургского университета. Был оставлен для подготовки к ученому званию. Покинул Россию после поражения Белой Армии. Приват-доцент русского юридического факультета в Праге. Профессор политической экономии в Харбине, =I936-38=. Принял священство в I945 году. =Пекин, Шанхай.= Пострижен в монашество в Джорданвилле в I949 году. Архимандрит =I954=. Профессор пастырского богословия и русской литературы в Троицкой семинарии.

Его жена София Артемьевна издала две книги:

Детскими глазами на мир. Харбин. I937. стр. III.
Путь через мир. Шанхай. I946.

Книги К. И. Зайцева.

Лекции по административному праву. Пр. I923.
Das Recht Sowjet Russlands. Tübingen. 1925.
И. А. Бунин. Б. I934.
Food supplies during the world war. New Haven. 1933.
Профессор крестоносец. =Болдырев=. Харбин. I936. стр. 46.
Основы этики. I и II том. Харбин. I937-38.
Св. Серафим Саровский и пути России. Ладомирово. I939.
Материалы к изучению святой Руси. Ладомирово. I940.
Православная Церковь в советской России. Шанхай. I947. стр. 206.
Памяти последнего царя. Шанхай. I948.
К познанию православия. Шанхай. I948. стр. 2I5.
Оглашенные изыдите. Шанхай. I948. стр. 47.
Киевская Русь. Шанхай. I949. стр. 220.
Памяти последнего патриарха. Дж. I949.
Православный человек. М. I950.

КОНСТАНТИН. =Зайцев=. =прод.=

Черты личности митр. Филарета. Дж. 1958. стр. 31.
Пастырское богословие. I и II том. стр. 207 и 285. Дж. 1960-61.
Духовный лик о. Иоанна Кронштадского. Дж. 1964.
Лекции по истории русской словесности. I и 2 том. Дж. 1967-68.
Чудо русской истории. Дж. 1970.

КОНСТАНТИНОВ, Дмитрий Васильевич. Протоиерей. =1908=.

Родился 8 марта в Петербурге. Окончил Петербургский университет. Аспирант по истории, =1930-33=. Преподавал в высших и средних учебных заведениях. Докторская диссертация: "Петр Великий и его издательская деятельность". Принимал деятельное участие в подпольной церковной работе. Офицер во время второй мировой войны. Попал в плен в 1944 г. Описание этих событий в книге: "Я сражался в красной армии". Буэнос Айрес. 1952. Испанский перевод, английский 1955.

Рукоположен в Берлине в 1944 г. Приходская работа сначала в Западной Германии, а потом в Арегентине. После 1960 года в Соединенных Штатах.

Редактор церковно-общественной газеты "НОВОЕ СЛОВО", =1949-1960=. Многочисленные статьи в Бюллитене Института по изучению СССР.

Православная Молодежь в борьбе за церковь в СССР. Мюнхен. 1956.
Religious Persecution in the USSR. London. Ontario (Canada). 1965.
Религиозное движение сопротивления. Канада. 1967. стр. 71.
Гонимая Церковь. Н-Й. 1967. стр. 381. =К книге приложена Библиография.=
Малые беседы. Н-Й. 1971. стр. 159.

КОНЧАЛОВСКИЙ, Дмитрий Петрович. =1878-1952=.

Родился в Харькове. В 1902 г. окончил историко-филологический факультет Московского университета и был оставлен при кафедре древней истории. Участвовал добровольцем в войне 1914-1917. В советской России преподавал немецкий и латинский языки. Очутившись в 1941 г. на територии, занятой немцами, он с семьей покинул Россию. С 1945 по 1947 находился в лагере Ди-Пи в Германии. В октября 1947 г. переехал в Париж, где и скончался.

Пути России. П. 1969. стр. 259.
От гуманизма к Христу. П. 1971. стр. 350.

КОНЦЕВИЧ, Иван Михайлович. =1893-1965=.

Родился 19 октября в Полтаве. Сын податного инспектора. Учился на математическом факультете Харьковского университета. В 1916 г. посетил Оптину Пустынь и с тех пор находился под духовным руководством старцев. Участвовал в гражданской войне. Окончил военно-инженерной училище в Галлиполи. Окончил в 1930 году физико-математический факультет Сорбонны, зарабатывая физическим трудом. Стал специалистом по электрификации. Окончил Сергиевскую Академию в Париже =1948=. В 1952 году переехал в Америку. Одно время преподавал в Троицкой семинарии патрологию. Умер в Сан-Франциско 6 июля.

Некролог в "Православном Пути". Джорданвилль. 1965.

Стяжание Духа Святого в путях древней Руси. П. 1952. стр. 171.
Иеросхимонах Нектарий, последний оптинский старец. Дж. 1953. стр. 57.
Истоки душевной катастрофы Л.Н.Толстого. М. 1960.
Оптина Пустынь и ее время. Дж. 1972.

КРЫЛОВ, Алексей Иванович. =1886-1968=.

Родился 26 февраля в Клину под Москвой. Сын священника. Окончил Московскую семинарию и медицинский факультет Юрьевского университета. Был послан на Салоникский фронт военным врачем во время первой мировой войны. Эвакуировался с госпиталем во Францию. Поселился в Ницe. Переехал в Германию после второй мировой войны. Будучи 75 лет был приглашен заведовать амбулаторией при американском аэродроме, чем и занимался в течение 5 лет. Из его многочисленных манускриптов издана только одна книга.

Пасха Господня и двунадесятые праздники. Висбаден. 1966. стр. 182.

КУЛОМЗИНА, Софья Сергеевна. =урожд. ШИДЛОВСКАЯ=. =1905=.

Родилась 3 декабря в Петербурге. Покинула Россию в 1920 г. Училась в Берлинском университете, =1922-24 гг.=. Окончила Колумбийский университет =1927=. Сотрудничила с Рус. Студ. Христ. Движением по работе с детьми. Эмигрировала в Америку в 1954 г. Преподавала педагогику в Св. Влад. Семинарии в Америке с 1954 г. Редактор журнала "Young Life".

Orthodox Concern for the Life of the World.
The Orthodox Christian Church through the Ages. N.Y. 1956.
Discovering God's Way. N.Y. 1961. и 5 других книг для детей.
Lectures on Orthodox Religious Education. N.Y. 1962.

КУЛОМЗИН, Николай Анатольевич. =1912=.

Родился 14 июня в Риге. Среднее образование получил в Марселе. В 1936 г. окончил физико-математический факультет Сорбонны, в 1937 г. получил диплом высшей инженерной электротех-

КУЛОМЗИН, Николай Анатольевич. =прод.=

нической школы Парижа. С 1938 по 1948 г. преподавал математику в Русской Гимназии Парижа. Окончил в 1951 г. Богословский Институт. Оставлен при Институте по кафедре Ветхого Завета. В 1958 г. получил звание доцента. В 1965 г. назначен на кафедру Нового Завета.

La place de Pierre dans l'Eglise primitive. (Primauté de Pierre dans l'Eglise Orthodoxe.) Neuchâtel. 1961.
Переводы того же произведения на английский, немецкий и итальянский языки.
La Bible. Première édition ecumenique. P. 1965.

=Введение во все книги Нового Завета. Переиздано в особом издании Париж. 1970.=

Список статей у Зан. 1965.

КУРДЮМОВ. =псевдоним КАЛАШ, Мария Александровна=. =урожд. Новикова=. =1886-1954=.

Родилась 18 декабря в Тверской губ. Работала журналисткой в Москве. Принимала деятельное участие в церковной жизни эмиграции. Умерла в Париже.

Кому нужна церковная смута. П. 1928.
Василий Розанов. П. 1929. стр. 90.
Церковь и Новая Россия. П. 1933. стр. 22.
Сердце смятенное =о творчестве Чехова=. П. 1934. стр. 209.
Рим и Православная Церковь. П. 1939. стр. 89.

ЛАГОВСКИЙ, Иван Аркадьевич. =1888-1949=.

ЛАГОВСКИЙ, Иван Аркадьевич. =прод.=

Сын священника. Окончил Киевскую Духовную Академию. Секретарь Рус. Студ. Христ Движения сначала в Париже, =I929-36=, потом в Эстонии, =I936-40=. Арестован коммунистами. Умер в ссылке в Сибири.

Коллективизация и Религия. П. I932. стр. 20.
Die Russische Orthodoxe Kirche. Riga. 1938.

ЛАМПЕРТ, Евгений Ильич. =I9I5=.

Родился в Мюнхене I мая. Воспитывался в Пятигорске. Покинул Россию в I924. Окончил Страсбургский университет и Богословский Институт в Париже. Профессор Кильского университета =Англия= с I965.

The Divine Realm. L. 1944. 140 pp.
Nicolas Berdyaev and the New Middle Ages. L. 1945. 96 pp.
The Apocalypse of History. L. 1948. 180 pp.
Studies in Rebellion. L. 1957. 295 pp.
Sons against Fathers. Oxford. 1964.

ЛАНДАУ, Григорий Адольфович. =I877-I940=.

Жил в Германии. Погиб в гитлеровской тюрьме.

Сумерки Европы. Б. I923. стр. 372.
Мистический опыт. Бл. I935.

Мат. Биб. I. Бл. =I93I=, Мат. Биб. II. Бл. =I94I=.

ЛАППО, Иван Иванович. = ? - ? =.

ЛАППО, Иван Иванович. =прод.=

Преподавал историю в Юрьевском и Ковнеском университетах. Писал на темы русской православной культуры и взаимотношений России с западными славянами.

Россия и славянство. Ужгород. 1930. стр. 36.
Литва и Польша после 1577. Каунас. =По литовски.=

Мат. Биб. I. Бл. =1931=, и II. Бл. =1941=.

ЛАПШИН, Иван Иванович. =1870-1955=.

Профессор Петроградского университета, преподавал в Праге. Писал по философии и истории.

Эстетика Достоевского. Б. 1923. стр. 104.
Философия изобретения и изобретение философии. Пр. 1924. I т. 272 стр., 2 т. 442 стр.
Silhuety ruskych hudebnika. Praha.
=Книга переведена на русский и сербский языки.=

Мат. Биб. I. Бл. =1931=, и Мат. Биб. II. =1941=.

ЛЕБЕДЕВ, И. Протоиерей.

Разруха Русской Православной Церкви в Америке. Бл. 1929. стр. 318.

ЛЕВИЦКИЙ, Сергей Александрович. =1910=.

Родился в Либаве. Окончил Пражский университет =1939=. Преподает в Америке, =Вашингтон=.

Основы органического мировоззренмя. Франкф. 1947. стр. 250.
Трагедия свободы. Франкф. 1958. стр. 350.
Очерки по истории русской общестевенной и философской мысли. Франкфурт. 1968. стр. 216.

ЛЕОНТОВИЧ, Виктор Владимирович. =1902-1960=.

Родился на Украине. Окончил гимназию в Киеве. Изучал русскую и византийскую историю и каноническое право в Праге. Профессор русского языка и истории во Франкфурте, =1948-60=.

Die Rechtsum über Ivan IV. Stuttgart. 1949.
Geschichte des Liberalismus in Russland. Frankfurt. A/M. 1957.

ЛИПЕРОВСКИЙ. Протоиерей. Лев Николаевич. =1888-1963=.

Сын священника, студентом медиком вступил в библейский кружок и увлекся миссионерской работой в Москве. Вольнопрактикующий врач в деревне =1913=. В первую мировую войну работал на фронте. После революции уехал с семьей в Сибирь, попал в Китай. Участвовал в съезде Всемирной Студенческой Федерации в Пекине =1922=. Был командирован в Европу для организации религиозной работы среди студенчества в эмиграции. Редактор "Духовного Мира Студенчества", № 1-5. Прага-Париж, =1923-25=. На съезде в Пшерове был выбран генеральным секретарем Рус. Студ. Христ. Движения зарубежом =1923=. В 1925 переехав в Париж, принял священство. Умер 3 февраля в Париже. Некролог. "Вестник Р.С.Х.Д. № 68-69, 1963.

ЛИПЕРОВСКИЙ. Протоиерей. =прод.=

Таинство христианского брака. Тарту =Эстония.= I937. стр. II.
Сорок лет спустя. =Поездка в Россию.= П. I960. =рот. изд.=
Чудеса и притчи Христовы. П. I962. стр. I77.
Так говорит Дух Церкви. П. I955. =рот. изд.=

ЛОЗИНО-ЛОЗИНСКИЙ, Константин Константинович. =I894=.

Родился I4 апреля в Петербурге. Окончил Медицинскую Академию =I9I8=. Покинул Россию =I920=. Окончил Медицинский факультет Флорентийского университета. Работал доктором в Канаде, в Колумбии, в Марокко и Эритрее. Участвовал с Николаем Рерихом в экспедиции в Индию и Тибет. Живет в Риме с I940 г.

Письма Марии о Мире. П. I929.
Le devenir de l'espace physique et transcendant. Livre I: 76 pp. Livre II: 83 pp. Roma. 1970.

ЛОКОТЬ, Тимофей Васильевич. = ? -I945=.

Профессор агрономического института в Новой Александрии и в Белграде. Статьи о религии и науке.

Завоевания революции. Вена. I92I. стр. 53.
Идеология русского монархизма. Бл. I92I. стр. 24.

Ст. Мат. Биб. I. Бл. =I93I=, Мат. Биб. II. =I94I=.

ЛОМАКО. Протопресвитер Григорий. =I884-I959=.

Родился в Ставропольской епархии. Окончил семинарию и СПБ Духовную Академию. Настоятель собора в Екатеринодаре, представитель епархии на Всероссийском Соборе =I9I7-I8=. В эмиграции трудился над устройством церковного управления.

ЛОМАКО. Протопресвитер Григорий. =прод.=

Настоятель прихода в Ментоне, а с 1952 г. до кончины настоятель кафедрального собора в Париже. Ряд статей на богословские и канонические темы.

Каноническое положение русской диаспоры. Н-Й. 1950.

ЛОПУХИН, Петр Сергеевич. =1885-1962=.

Родился 14 февраля в семье помещика. Работал в земстве. Покинул Россию =1920=. Участвовал в братстве св. Серафима Саровского в Белграде, с 1935 работал в канцелярии Синода Рус. Заруб. Церкви в Сремских Карловцах. После второй мировой войны переехал в Германию, затем во Францию, где был епархиальным секретарем Синодальной Церкви для Западной Европы. Издавал журнал "Вестник Православного Дела", =1959-1962, Женева=.

Православный путь =Братство св. Серафима Саровск.=. Бл. 1932. стр. 24.
Мысли митр. Антония, записанные П. С. Лопухиным. Ср. Карл. 1936.
Митрополит Антоний о Государстве, Руси и России. Ср. Карл. 1936. стр. 58.
Преподобный Серафим и пути России. Ладомирово. 1939.
Матерьялы к изучению Святой Руси. Ладомирово. 1940.
О Православном человеке. М. 1952.
Святая Русь и Российское государство. М. 1953. стр. 21.

ЛОССКИЙ, Владимир Николаевич. =1903-1958=.

Родился в Геттингене 8 июля. Выслан со своим отцом из России в 1922 г. Окончил Сорбонну в 1927 г. Занимался научно-исследовательской работой и преподавал богословие в Париже, в Ин-

ЛОССКИЙ, Владимир Николаевич. =прод.=

ституте Св. Дионисия. Один из руководителей Содружества св. Албания и преп. Сергия Радон. Умер 5 февраля в Париже.

Спор о Софии. П. 1936.
Essai sur la Théologie Mystique de l'Eglise d'Orient. P. 1944. 248 pp.
 Англ. пер. 1957. стр. 252.
The Meaning of Ikons. (In collaboration with L. Uspensky.) L. 1947. 222 pp.
Нем. и фр. пер.
Théologie Négative et connaissance de Dieu Chez Maître Eckhart. P. 1960.
La vision de Dieu. Neuchâtel. 1961. 1963. 137 pp.
A l'image et a ressemblance de Dieu. P. 1967. 225 pp.

ЛОССКИЙ, Николай Онуфриевич. =1870-1965=.

Родился в Витебской губ. 6 декабря. Исключен из Петербургского университета за пропаганду атеизма. Закончил образование в Берне. Профессор философии в Петербургском университете. Лишен кафедры за христианское мировоззрение =1921=. Выслан из России в 1922 г. Преподавал философию в Праге и Братиславе =1930-45=, затем в Св. Владимирской семинарии в Нью-Йорке =1950-53=. Умер около Парижа 24 января.

Логика. Б. 1923. Нем. пер. 1927.
Основы интуиции. Б. 1927.
Материя и жизнь. Б. 1927. стр. 124.
Свобода воли. П. 1926. стр. 182. Англ. пер. 1932. стр. 150.
Мир как органическое целое. П. 1924. Англ. пер. Охф. 1928.
L'Intuition, la matière et la vie. P. 1928.
Типы мировоззрений. П. 1931. стр. 184.
Ценность и бытие. П. 1931. стр. 136. Англ. пер. 1935.
Диалектический материализм. П. 1934. стр. 66.
Чувственная, интеллектуальная и мистическая интуиция. П. 1938.
 стр. 226.

ЛОССКИЙ, Николай Онуфриевич. =прод.=

Les conditions de la morale absolue. Neuchâtel. 1945. Англ. пер. I94I. Рус. пер. I949. стр. 382.
History of Russian Philosophy. L. 1952. 416 pp.
Характер русского народа. Франкф. I957. стр. I52.
Достоевский и его христианское мировоззрение. Н-Й. I954. стр. 406.
Популярное введение в философию. Франкф. I957. стр. 220.
Учение о. С. Булгакова о всеединстве. S. Canaan, Penn. =Б.Д.= стр. 20.
Воспоминания. М. I968.

Мат. Биб. I. Бл. =I93I=, и II. Бл. =I94I=.

ЛОТ-БОРОДИНА, Мирра Ивановна. =I882-I957=.

Родилась в Петербурге 2I января. Изучала философию на Высших Женских Курсах. Покинула Россию в I905 г. Закончила образование в Италии и Франции. Специализировалась по средневековой французской литературе. Автор многочисленных исследований по этому предмету. Доктор литературы =I909=. После I930 г. стала изучать Византию и ее богословие. Напечатала ряд трудов в этой области. Умерла в Париже.

Nicolas Cabasilas, un maître de la Spiritualité Byzantine. P. 1958. 194 pp.
La déification de l'homme selon la doctrine des pères grecs. P. 1970. =Книга эта содержит краткую биографию автора.=

ЛУКЬЯНОВ. Священник Валерий Семенович. =I927=.

Родился в Шанхае 2I декабря. Сын офицера. Окончил гимназию в Шанхае =I950=, и Бруклинский Политехнический Институт в I955. Работал в строительной промышленности, прошел заочно

ЛУКЬЯНОВ. Священник Валерий Семенович. =прод.=

курс св. Троицкой семинарии. Диакон =1963=. Иерей =1967=. Настоятель прихода в Лейквуде, Нью Джерзи.

Воскресное богослужение. Дж. 1970. стр. 16.
Духовная качественность общественной молитвы. Дж. 1970. стр. 14.
Под покровом Богоматери – к стопам Спасителя. =Готов. к печати.=

ЛЮТОВ. Протоиерей Павел Тимофеевич. =1900=.

Родился на Кубане 4 ноября. Покинул Россию в 1920 г. Учился в Политехническом Институте в Праге =1922-27=. В 1931 г. окончил Богословский Институт в Париже. Защитил диссертацию в Оксфорде =1934=. Преподавал в Париже, =1934-38=. Рукоположен в 1938 и переехал в Америку. Преподавал в Харварде и в Вашингтоне, =1938-1947=. Работал в библиотеке Конгресса, =1949-1954=. Священствует в Вашингтоне.

Беседы на Евангелие св. Марка. П. 1931. стр. 64.

ЛЯЦКИЙ, Евгений Александрович. =1862-1944=.

Родился в Минске. Профессор университета в Праге.

Гончаров. Стокгольм. 1920.
Страждущая Россия. Сток. 1920.
Былины. Сток. 1920.
Гончаров, его романы и жизнь. Пр. 1925.
Крылов. Бл. 1927.
Literatura Rosyjska. Warszawa. 1930.

ЛЯШЕВСКИЙ. Протоиерей Стефан. =1899=.

Покинул Россию во время второй мировой войны. После пребывания в Германии, переехал в Соединенные Штаты. Настоятель приходов в Бальтиморе, и во Флориде.

Первое великое тысячелетие. Гамбург. 1947. Нем. пер.
Преподобный старец Герман Аляскинский. 1953.
Трилогия =Шесть дней творения=. Бал. 1962. Англ. пер. 1959.
Первоначальная библейская Церковь. Бал. 1960.
Библейская повесть о праотцах. Бал. 1964.
Агиология. Часть I и 2 -ая. Бал. 1966.
История христианства в земле русской с I-го века по II-ый. Бал. 1968. стр. 221.

МАЕВСКИЙ, Владислав Албимович. =1893=.

Родился 4 апреля около Полтавы. Участвовал добровольцем в Балканской войне =1912-13 г.= и в первой мировой войне. Окончил Белградский университет. После второй войны переехал в Америку. Преподает в Тихоновской семинарии.

Сербский патриарх Варнава. I и 2 том. Бл. 1932.
Революционер-монархист. =Тихомиров.= Новый Сад. 1934. стр. 110.
Иверская Божья Матерь. Бл. 1932. стр. 64.
Крестовые походы и борьба на Востоке. Дрезден. 1935.
Народный патриарх. I и 2 том. Сремски Карловцы. 1936.
Святая гора. Срем. Карлов. 1937.
Неугасимый Светильник. Шанхай. 1940.
Лавра Хилендар. Новый Сад. 1941.
Афонские рассказы. П. 1950. стр. 185.
Трагедия Толстовского богоискательства. Буэнос Айрес. 1954.
Внутренняя миссия и ее основоположник. =Скворцов.= Аргентина. 1954. стр. 285.
По тропинкам прошлого. 1957. стр. 268.

МАЕВСКИЙ, Владислав Албимович. =прод.=

Христианство и социализм. Буэнос Айрес. 1959. стр. 2II.
Патриарх Варнава и конкордатная война. США. 1958.
Взаимоотношения России и Сербии. Б.А. 1960.
Лесна,Хопово и Фуркэ. Сан-Паоло. 1962. стр. 79.
Борец за русское благоденствие. =Столыпин.= Мадрид. 196I. стр. 284.
На грани двух эпох. Н-Й. 1964. стр. 285.
Русские в Югославии. =1920-1945=. Н-Й. 1966. стр. 362.
Дореволюционная Россия и СССР. Мадрид. 1965. стр. 342.
На ниве церковной. 1968.
Афон и его судьба. 1969.

МАКСИМОВИЧ, Евгений Филимонович. =1894-1965=.

Окончил исторический факультет Харьковского университета. Оставлен был для подготовки к профессорскому званию. Участник Белого Движения. Галлиполиец. Работал в Русском историческом архиве в Праге. Член научно-исследовательского объединения при Русском Свободном университете в Праге. Умер в Праге. Его статья "Эпоха Николая II" была помещена в Новом Журнале. Кн. 98.

Мат. Биб. I. Бл. =193I= и II. Бл. =194I=.

МАНУХИНА, Татьяна Ивановна. =урожд. Крундишева=. =1885-1962=.

Родилась 3I декабря в Петербурге. Окончила Педагогический Институт. Закончила образование в Париже. Покинула Россию в 192I г. Журналистка, специализировалась по экуменическим вопросам. Умерла в Париже 13 июня.

Отечество. П. 1933. стр. 386. =Напечатано под псевдонимом

МАНУХИНА, Татьяна Ивановна. =урожд. Крундишева=. =1885-1962=.

Таманин.=

Путь моей жизни - Воспоминания митр. Евлогия, изложенные Т. Манухиной. П. 1947. стр. 678.

Св. Анна, княгиная Кашинская. П. 1954. стр. 194.

МАРКОВ, Николай Евгеньевич. =Второй=. = ? -1943=.

Известный член Думы, крайне правого направления. Видный участник Зарубежного Собора в Сремских Карловцах =1921=. Писал по церковным делам в журнале "Двуглавный Орел", в органе Высшего Монархического Совета.

Война темных сил. П. 1928.

МАРЛИНСКИЙ, А. =Псевдоним протоиерея Александра Колесникова=.

Тайновидец будущего. =Откровение ев. Иоанна Богослова.= Ганновер. 1948.

МАТВЕЕВ, Леонид Алексеевич. =1880-1960=.

Родился 30 ноября в Серапуле Вятской губернии. Экономист. Занимал ряд ответственных постов в министерстве финансов. После революции бежал в Крым, где издавал газету. Покинул Россию в 1920 г. Жил в Югославии. В 1944 при приближении Красной Армии уехал на запад и поселился в Париже. В последние годы жизни, кроме апологетики, посвятил себя изучению

МАТВЕЕВ, Леонид Алексеевич. =прод.=

царствования императора Александра I. Работа на эту тему осталась вместе с другими рукописями ненапечатанной и находится в распоряжении сына В. Л. Матвеева. Л. А. Матвеев умер в Париже 9 июня.

Есть ли чудо? Бл. I93I. стр. 38.
О вере. Бл. I936.
Краткая история религий. Бл. стр. I75. Серб. и болг. пер.
Моисей перед судом истории. том I. Бл. I939. стр. 304.
=Второй том остался в рукописи.=

МЕДТНЕР, Николай Карлович. =I879-I95I=.

Родился в Москве 24 декабря. Окончил Московскую консерваторию. Знаменитый композитор и пианист. Покинул Россию после революции. Поселился во Франции, в I936 году переехал в Лондон. Умер там 8 ноября.

Муза и мода. П. I935.

МЕЙЕНДОРФ. Протоиерей. Иван Феофилович, барон. =I926=.

Родился 2 февраля в Neuilly/Seine. Окончил Сорбонну и Богословский Институт в Париже =I949 г.=. Преподавал историю Церкви в Париже, =I950-59=. Рукоположен в священники в I958 г. Профессор патрологии в Св. Влад. Семинарии с I959 г. Видный деятель Экуменического Движения. Редактор газеты: "The Orthodox Church". N.Y.

St. Grégoire Palamas et la mystique orthodoxe. P. 1959. pp. 200.
Introduction à l'étude de Grégoire Palamas. P. 1959.
Grégoire Palamas: Triade pour la défense des saints hesychastes. Vol. I, II. Louvain. 1959.

МЕЙЕНДОРФ. Протоиерей. =прод.=

L'Eglise Orthodoxe hier et aujourd'hui. P.1960.pp200.Итал., нем. пер. 1962.
The Orthodox Church. L. 1964. pp. 245.
Orthodoxie et Catholicité. P. 1965.
A study of Gregory Palamas. L. 1964. pp. 245.
La Christologie Byzantine. P. 1967.
Le Christ dans la Théologie Byzantine. P. 1968.
Marriages: An Orthodox Perspective. Tukahoe. N.Y. 1970. pp. 104.

МЕЛЬНИКОВ, Евгений Иванович. =1909- ? =.

Доктор философии Карлова университета в Праге. Статьи по иконографии и археологии.

Мат. Биб. II. Бл. =1941=.

МЕЛЬНИКОВ, Федор Ефимович. =1875-1960=.

Сын старообрядческого священника, видный старообрядческий деятель и апологет. Редактор первых старообрядческих газет "Утро" и "Народная Газета", начавших выходить после дарования старообрядцам свободы в 1905 году. В 1931 году бежал в Румынию, переплыв ночью Днестр. В 1941-42 годах находился в России при румынской церковной миссии. Умер в Румынии 12 мая.

Безбожники сами верующие, но бессознательные. Кишинев. 1931.
Нужна ли вера в Бога? =Публичный диспут.= Кишинев.
Есть ли душа у человека и бессмертна ли она? =Диспут с агитаторами Хвостиковым и Логиновым.= Кишинев.
О христианских догматах и таинствах. =Публичный диспут с агитаторами Мининым и Бухариным.= Кишинев.
Безбожие, как безумие и ужас. =Диспут с агитатором Шпаной и политопросветчиком Дриздиным.= Кишинев.

МЕЛЬНИКОВ, Федор Ефимович. =прод.=

Откуда взялся Бог? Беседа учителя с пионерами. Кишинев. стр. 36.
О сектантском священстве. Варшава. 1934.
Современное безбожие. Кишинев. 1935.
О безбожническом и христианском догматизме. Кишинев. 1937.
Безбожие недоказуемо. Варшава. 1937.
Откуда произошла вера в Бога? Владимирово. 1938. стр. 48.

МЕРЖЕЕВСКИЙ, Владимир Данилович. =1897=.

Родился 8 ноября в Новозыбкове, Черниговской губ. Отец инженер. Окончил в 1916 году реальное училище в Георгиевске, Терская область и Политехнический Институт в Риге. Эмигрировал в 1926 в Бразилию. Служил в Главной Электрической Компании в Сан-Паоло. Церковный и общественный деятель. Член Епархиального Совета, близкий сотрудник Феодосия, архиепископа Сан-Паольского и вся Бразилии, =1884-1968=. Редактор "Владимирского Вестника, =1948-1968=, и автор многочисленных статей в других журналах и газетах.

МЕРЗЛЮКИН, Алексей Сергеевич. =1898-1970=.

Родился 6 ноября в Ростове на Дону. Морской инженер. Жил в Париже начиная с 1922 г. Умер в Перпиньяне 11 июня.

Родословие Пресвятой девы Марии и происхождение братьев Господних. П. 1955. стр. 37.
La doctrine Romaine de la Conception de la Vierge Marie et le point de vue Orthodoxe. P. 1961.
О католическом догмате 1854 года. П. 1960. стр. 50.
Звезда рождшая солнце. П. 1967. стр. 140.
История Иверской иконы пресвятой Богородицы. № 1. П. 1967. с.31.

МЕРЗЛЮКИН, Алексей Сергеевич. =прод.=

История Казанской иконы пресвятой Богородицы. № 2. П. 1969. стр. 36.
История Владимирской иконы пресвятой Богородицы. № 3. П.
О местонахождении Ахтырской иконы пресвятой Богородицы. № 4.П.

МЕФОДИЙ. Епископ Кампании. =Владимир Николаевич Кульман.= =1902=.

Родился 12 июля в Петербурге, сын профессора. Окончил университет в Праге по славянской филологии =1926=, и Богословский Институт в Париже. Постригся в монахи =1928=. Принял священство =1931=, настоятель русского прихода в Анвере близ Парижа с 1932 года. Епископ =1953=. Редактор журнала "Вечное" с 1948 года.

МЕФОДИЙ. Митрополит Харбинский и Маньчжурский. =Герасимов Маврикий Львович=. =1856-1933=.

Окончил Киевскую Духовную Академию =1882=. Миссионер в Алтаи. Епископ Бийский =1894=, Забайкальский =1899=, Томский =1913=, Харбинский =1922=.

О знамении обновления святых икон. Харбин. 1925. Дж. 1968. стр. 82.
По поводу церковных нестроений. Харбин. 1927.
По поводу признания Московской церковной властью Советской власти. Харбин.

МОЛЧАНОВ. Протоиерей Борис Николаевич. =1896-1963=.

Родился 24 июля в Петербурге. Сын протодиакона. Окончил

МОЛЧАНОВ. Протоиерей. =прод.=

Петербургскую семинарию =I9I6= и Парижский Богословский институт =I928=. Рукоположен в I927 г. Настоятель приходов в Медоне, =I927-33=, в Лондоне, =I933-38=, в Бейруте =I938=, в Белой Церкви, =I938-4I=. Старший священник Русского Охранного Корпуса, =I94I-45=. Настоятель различных приходов во Франции, =I945-55=. Переехал в Америку =I956=. Умер в Нью Йорке 22 августа вторым священником кафедрального собора Знамения Божьей Матери.

Антихрист. Дж. I966. стр. 24.
Эпоха апостасии. Дж. I966.

МОЧУЛЬСКИЙ, Константин Васильевич. =I892-I948=.

Родился 28 января в Одессе. Окончил Петербургский университет =I9I4= и преподавал в нем, =I9I6-20=. Покинул Россию в I920 г. Преподавал в Софии =I920-22=, в Сорбонне =I924-44=, и в Богословском Институте в Париже =I937-47=. Руководитель Рус. Студ. Христ. Движения и Православного Дела. Умер во Франции. Его памяти посвящен № 7 "Православной Мысли", П. I949.

Histoire de la littérature russe. P. 1934.
Духовный путь Гоголя. П. I934. стр. I50.
Владимир Соловьев. П. I936. стр. 268.
Великие Русские Писатели XIX века. П. I939. стр. I53.
Федор Достоевский. П. I942. Фр. пер. I963. стр. 56I.
Александр Блок. П. I948. стр. 44I.
Андрей Белый. П. I955. стр. 292.
Валерий Брюсов. П. I962. стр. I83.

Для статей см. Зан. I947, I954, I965.

МОШИН. Протоиерей Владимир Алексеевич. =1894=.

Родился 26 сентября в Петербурге. Учился в Петербурге, Тифлисе и Киеве. Поселился в Югославии в 1920 г. Окончил Загребский университет. Преподавал византалогию в Скоплянском и Белградсокм университетах, =1931-42=. Рукоположен в 1942 году. Директор архивов Загребской Академии Наук, =1947-59=.

Греческие указы сербских князей. Бл. 1936. =По сербски.=
Документы из архивов Афонской Горы. Бл. 1939. =По сербски.=
Средневековые игумены Хилендарского монастыря. Скоплье. 1940. =По сербски.=
Supplemeta Ad Acte Chilandarii. Любляны. 1948.
Летопись Дукльянина. Загреб. 1950. =По хорватски.=
Кирилличные рукописи Югословянской Академии. том II. Загреб. 1952; том I. Загреб. 1955.
Македонское Евангелие священника Иоанна. Скопье. 1954.
Филиграны. XII и XIII веков. Загреб. 1957.

МУСИН-ПУШКИН. Протоиерей Василий Владимирович. Граф. =1894-1959=.

Родился в Петербурге 17 ноября. Окончил училище правоведения. Участвовал в первой мировой и гражданской войне в Кавалергардском полку. Покинул Россию после падения Крыма в 1920 году. Жил в Берлине, Париже и Ницце, где участвовал в кружке о. Александра Ельчанинова. Переехав в Америку, принял священство. Был настоятелем храма Св. Владимира в Кассевиле, построенном его усердием. Умер 10 июня.

Из проповедей. Н-Й. 1963. стр. 48.
Христианская жизнь и смерть. Н-Й. 1965. стр. 45.

НАФАНАИЛ. Епископ. =Василий Владимирович Львов=. =1906=.

НАФАНАИЛ. Епископ. =прод.=

Родился в Москве I7 августа. Сын члена Государственной Думы. Учился в Петербургской гимназии в Бугурусланском и Томском реальных училищах. Окончил Харбинское реальное училище =I922=. Работал рабочим на Китайской Восточной железной дороге, =I922-29=. Учился на вечерних богословских курсах, =I928-3I=. Принял монашество. Посвящен в иеромонахи =I929=. Законоучитель в детском приюте при Доме Милосердия в Харбине. Архимандрит =I936=. Начальник православной миссии на Цейлоне, =I937-39=. Вторую мировую войну провел в Словакии. Помощник настоятеля монастыря преп. Иова. Редактор журнала "Детство во Христе", =I939-44=. Настоятель Воскресенского собора в Берлине, =I945=. Епископ Брюссельский и Западно-Европейский, =I946-5I=. Тунис =I952=. Лектор по Ветхому и Новому Завету в монастыре преп. Иова, =I953-56=. С I966 г. настоятель обители преп. Иова в Мюнхене.

Редактор "Православного Голоса" в Маньчжурии =I934-37=, "Православной Руси" на Карпатах =I939-45=, "Православных Сборников" в Париже =I947-49=, "Церковного Голоса" Германия =I955-7=, "Вестника Православного Дела" Германия =I959-63=. Многочисленные статьи в журналах "Хлеб Небесный", "Рубеж", "Гун-бао" =Харбин, и в европейских и американских русских органах.

Краткая священная история. Владимирово. I94I.
О судьбах русской Церкви заграницей. I949.
Жития святых. М. I969-72.
Отец архимандрит Корнилий. М. I97I.
Путешествие в космос. М. I972.
Семь святых таинств. Монреаль. I972.

НЕЛЬСКИЙ, А. =псевдоним епископа Нафанаила Львова=. =I906=.

Семь Святых Таинств. =Апологетическая Повесть.= За Веру.

НЕЛЬСКИЙ, А. =псевдоним епископа Нафанаила Львова=. =прод.=

Выпуск 7. Ладомирова. Словакия. I944. стр. 66.

НИЖЕГОРОДСКИЙ, И. Е.

Социализм и христианство. Б. I923. стр. I69.

НИКИФОРОВ, Николай Иванович. =I886- ? =.

Магистр всеобщей истории. Приват-доцент Киевского университета. Профессор русского юридического факультета в Харбине. Один из руководителей русского У.М.С.А. в Харбине. Статьи по философии истории и по взаимотношениям русской и западной культуры. Специалист по эпохе Возрождения.

Мат. Биб. I. Бл. =I93I= и II. Бл. =I94I=.

НИКИФОРОВ-ВОЛГИН. В.

Жил в Эстонии до второй мировой войны.

Земля именниница. Таллин. =Б.Д.= стр. I82.
Дорожный посох. Дж. I972. стр. I90.

НИКОЛАЕВ, Константин Николаевич. =I884-I965=.

Родился I2 апреля. Окончил юридический факультет Киевского

НИКОЛАЕВ, Константин Николаевич. =прод.=

университета. Присяженный поверенный. Юрисконсульт Православной Церкви в Польше. Выслан в Югославию в 1931 г. за защиту православия. После второй мировой войны был председателем О-ства Русских Юристов в Германии и защищал русских от насильственной выдачи их Советским органам. Переехал в Америку в 1949 г. Церковный и общественный деятель, публицист, издатель журнала "За Право и Правду". Умер 26 июня в Нью-Йорке.

Присяженные суды в России. =1864-1917.= Варш. 1927.
Правовое положение Православной Церкви в Польше. Варш. 1927.
Воссоединение униатов с Православной Церковью в 1939 и конкордат Рима с Россией в 1847 г. Варш. 1931.
Правовое положение Православной Церкви народа русского в рассеянии сущего. Новый Сад. 1934.
Судьбы Православия. Бл. 1939.
Восточный обряд. П. 1950. стр. 335.

Мат. Биб. II. Бл. =1941=.

НИКОЛАЕВСКИЙ, А.

Великий пастырь земли русской. =О. Иоанн Кронштадский.= М. 1948.

НИКОН. Архиепископ Вашингтонский и Флоридский. =Рклицкий Николай Петрович=. =1892=.

НИКОН. Архиепископ Вашингтонский и Флоридский. =прод.=

Сын священника, учился в семинарии. Окончил юридический факультет Киевского университета в I9I5 году и юридический факультет Белградского университета. Член братства преп. Серафима Саровского. Епископствует в Америке.

Смерти нет. Бл. I934.
Краткое описание блаженнейшего Антония, митрополита Киевского и Галицкого. Бл. I935.
Жизнеописание блаженнейшего Антония, митрополита Киевского и Галицкого. Семнадцать томов. Н-Й. I956-I969.
Редактировал в Белграде "Царский Вестник", =I928-I94I=. Издал там же в I939 "Деяний Зарубежного Собора Русской =Синодальной= Церкви, состоявшегося в Сремских Карловцах в I938 году".

НОВГОРОДЦЕВ, Павел Иванович. =I866-I924=.

Видный либеральный представитель русской науки и общественности. Профессор права в Московском университете. Ректор русского юридического факультета в Праге, =I922-24=.

Об общественном идеале. =Третье издание.= Б. I92I. стр. 386.
Из лекций по истории философии права.
Кант и Гегель.

Мат. Биб. I. Бл. =I93I=.

ОБОЛЕНСКИЙ, Дмитрий Дмитриевич. Князь. =I9I8=.

Родился I апреля в Петрограде. Вывезен из России годовалым ребенком. Учился во Франции и в Англии. Окончил Кембриджский университет в I940 г. Преподавал в Кембридже =I942-48=. Док-

ОБОЛЕНСКИЙ, Дмитрий Дмитриевич. =прод.=

тор философии =I944=. С I948 года преподает в Оксфорде. Профессор русской и балканской истории.

The Bogomils. Cambridge. 1948. Переиздано в I972.
The Penguin Book of Russian Verse. L. 1962. 445 pp.
The Christian Centuries. Vol. 2. The Middle Ages. Cam. 1969.
The Byzantine Commonwealth. L. 1971. 445 pp.
Byzantium and the Slavs. Collected Studies. L. 1971. 440 pp.

ОКУНЕВА, Ирина Николаевна. По мужу Расовская. =I9I3-I94I=.

Родилась в Петербурге. Окончила университет в Праге. Статьи по иконографии. Подготовляла докторскую диссертацию. В I938 году переехала в Белград и там вышла замуж за историка Д. А. Расовского, =I902-4I=. Работала с ним во вновь открытом отделении Института, имени Н. П. Кодакова. Убита с мужем в день немецкой бомбардировки Белграда.

Мат. Биб. II. Бл. =I94I=.

ОКУНЕВ, Николай Львович. =I886-I949=.

Преподавал историю искусства в Петербурге =I9I7-20=. Профессор в Одессе и Скоплье. С I925 года приподавал византийское и славянское искусство в Карловом университете в Праге.

Ст. Мат. Биб. I. Бл. =I93I=.

ОРЛОВ, Григорий Михайлович. =I893=.

Служил в Министерстве Земледелия. Участвовал в первой мировой войне и в Белой армии, как военный летчик. Переехал в Аргентину в

ОРЛОВ, Г. М. =прод.=

1924 году.

Духовный Фронт.
Традиция церковная и общественная.
На путях истины. Буэнос Айрес. 1948. стр. 62.
Упадок религиозности, как причина нашей катастрофы. 1941.

ОСИПОВ, Николай Евграфович. =1877-1934=.

Преподавал медицинскую психологию в Москве и в Праге. Специально изучал Толстого и Достоевского.

Ст. Мат. Биб. I. Бл. =1931=. Мат. Биб. II. Бл. =1941=.

ОСТРОМИРОВ, А.

Николая Федорович Федоров. =Биография.= Харбин. 1928.
=В предисловии указано, что автор предполагает приступить к изданию своего труда "Н. Ф. Федоров и Современность", подразделив его на следующие отделы:=
1. Проэктивизм и борьба со смертью. Харбин. 1928.
2. Теология и антропология Федорова.
3. Наука, искусство и труд воскресения.
4. Современная война и учение Федорова.
5. О всеобщей повинности возвращения к жизни.
=Автору данной библиографии остается неизвестно, удалось ли Остромирову осуществить свой план.=

Организация мировоздействия. Харбин. 1932.
Острие мирового кризиса. Харбин. 1933.

ПЕРВУШИН, Николай Всеволодович. =1899=.

Родился 28 апреля в Казани. Окончил Казанский университет =1919=, и был оставлен для подготовки к профессорскому званию. Выдержал неофициально магистерский экзамен, защитив работу "Родбертус и Бюхер", =1921=. Научная командировка в Германию =1923=. Издал "Германские концерны и концентрация промышленности", Ленинград, 1927, стр. 258. Перешел на эмигрантское положение =1929=. Журналист и экономист в Париже, =1929-46=. По переезде в Америку работал в отделе языков в Орган. Объедин. Наций. Профессор русского языка, истории и экономики в Макгильском университете с 1962 и в Оттавском университете с 1966. Председатель русской академической группы в Монреале и Квебеке. Один из организаторов Международного Общества для изучения Достоевского. Многочисленные статьи на темы православной культуры и литературы в русских и американских журналах.

ПЕРОВ, Павел Николаевич. =1886=.

Родился 18 марта в Петербурге в военной семье. Окончил кадетский корпус и артеллерийское училище. Был тяжело ранен на русско-японской войне. Оставленный, как мертвый на поле сражения, пережил внутренний переворот. Выйдя в отставку, жил в Германии, Австрии и Франции изучая современную живопись. В 1910 переехал в Америку и в течение 40 лет работал в фильмовых студиях. Автор многих рассказов и двух романов "Братство Вия", =Рига, 1933, стр. 250= и "Американские Новеллы", =Берлин, 1924, стр. 280=.

Из его религиозно-философских трудов были напечатаны:

Ответ самому себе. Б. 1937. 200 стр.
Проблема философии 20-го века. П. 1970.
Что делает Господин? Готовится к печати; несколько экземпляров

ПЕРОВ, Павел Николаевич. =прод.=

появилось в ротаторной форме.

ПЕТРОВ, Алексей Леонидович. =I859-I932=.

Профессор истории Петербургского университета. Преподавал в Праге.

Древние грамоты по истории Карпато-Русской Церкви и иерархии. =I39I-I498=. Пр. I930. стр. 229.

Мат. Биб. I. Бл. =I93I=.

ПЛЕТНЕВ, Ростислав Владимирович. =I903=.

Родился 3 марта в Петербурге. Окончил Пражский университет =I928=. Преподавал в Югославии. Профессор Русской Литературы в Монреале =Канада= с I956 г.

Lectures on Russian Literature. Toronto. 1959.
Textes de Slavon de l'Eglise. 1957.
О лирике Пушкина. Монреаль. I963.
А. И. Солженицын. М. I970. стр. I53.

Ст. Мат. Биб. I. Бл. =I93I=. Мат. Биб. II. Бл. =I94I=.

ПОГОДИН, Александр Львович. =I872-I947=.

Родился I5 июня в Витебске. В I892 г. окончил Петербургский университет. Профессор Варшавского университета =I896-I906=. Лишен кафедры за полонофильство. Профессор Харьковского университета, =I9I0-20=. Профессор Белградского университета, =I920-44=. Историк славянских народов. Статьи по литературе,

ПОГОДИН, Александр Львович. =прод.=

истории культуры в журнале "Путь" и других. Умер I6 мая в Белграде.

История русской литературы. =Серб.= Бл. I927.
Русско-Сербская библиография. Т. I. Бл. I932; т. II. Бл. I936.

Мат. Биб. I. Бл. =I93I=, II. Бл. =I94I=.

ПОЗОВ, Авраам Самуилович. =I890=.

Родился I7 декабря в Карсе в Закавказье. Изучал медицину в Киеве. Работал как доктор в первую мировую войну. Продолжал медицинские занятия в Петрограде, =I924-3I=. Переехал в Грецию в I93I и работал врачом в Афинах. С I943 живет в Германии и занимается богословием.

Логос-медитация древней Церкви. М. I96I. стр. I63.
Основы церковной антропологии. Том I, стр. 42I; том II, стр. 345. Мадрид. I965-66.
Метафизика Пушкина. Мадрид. I967. стр. 235.
Основы христианской философии. Том I, стр. 34I; том II, стр. 205. Мадрид. I970.

ПОЛТОРАЦКИЙ, Николай Петрович. =I92I=.

Сын священника. Родился I6 февраля в Константинополе. Учился в Болгарии и Германии. Окончил Сорбонну в I954. Переехал в Америку в I956 г. Профессор Питсбургского университета. Редактор ряда зарубежных сборников.

Николая Бердяев и Россия. Н-Й. I967. стр. 262.
Русская литература в эмиграции. Н-Й. I972. стр. 400.

ПОЛЬСКИЙ. Протопресвитер Михаил Афонасьевич. =I89I-I960=.

=Дополнительная информация находится в приложении стр. I54.=

Положение Церкви в Советской России. Иерусалим. I93I. стр. I22.
О духовном состоянии Русского народа под властью большевизма. Бл. I938.
Новые мученики Российские. I т. Дж. I943. стр. 287.
Современное положение Православной Церкви. I946. стр. 34.
Каноническое положение Высшей Церковной власти в СССР и заграницей. Дж. I948. стр. I94.
Очерк положения Русского экзархата Вселенской юрисдикции. Н-Й. I952. стр. 3I.
Американская митрополия и дело Лос-Анжелосского прихода. Дж. I952.
Новые мученики Российские. Т. II. Дж. I957. стр. 3I9.
В защиту Православной Веры от сектантов. Дж. I950. стр. I2.
The new martyrs of Russia. Montreal. 1972. 137 pp.

ПОМАЗАНСКИЙ. Протопресвитер Михаил. =I888=.

Родился 7 ноября. Сын священника. Окончил Киевскую Духовную Академию в I9I2 г. После второй мировой войны поселился в Америке =I949=.

О Церкви Христовой. Дж. I953. стр. 76.
В мире молитвы. Дж. I957. стр. 76.
Ветхий Завет в Новозаветной Церкви. Дж. I96I. стр. 38.
Православное Догматическое Богословие. Дж. I963. стр. 252.
Опасное начинание. =О новом переводе Нового Завета.= Дж. стр. 27.

ПОМЕРАНЦЕВ, Кирилл Борисович. =1914=.

Родился 14 февраля в Петрограде. Окончил университет в Лувене и в Париже =1936-39=. Переселился после второй мировой войны в Бразилию.

Le bonheur par l'activité créatrice. Gent. 1965.

ПОПОВ, А.

Правда о православии в Польше. Бл. 1937.

ПОПОВ, Петр Иванович.

Карловацкая смута. Юрев. 1927.

ПОПРУЖЕНКО, Михаил Георгиевич. =1866-1944=.

Родился в Одессе 25 июля. Профессор Новороссийского университета. Покинул Россию в 1920. Профессор Софийского университета. Член Болгардской Академии Наук. Умер 30 марта.

Синодик царя Бориса. София. 1928.
Пособие при изучении русского языка. София. 1931.
Опыт систематический. Кир.-Меф. библиографии. София. 1934.

ПОПРУЖЕНКО, Михаил Георгиевич. =прод.=

Козма Презвитер. София. 1936.
Библиографический обзор славянских источников жития свв. Кирилла и Мефодия. София. 1935.
Кирилло-Мефодий библиография =1934-1940=. София. 1942.

Ст. Мат. Биб. I. =1931=. Мат. Биб. II. Бл. =1941=.

ПОСНОВ, Михаил Эмануилович. =1873-1931=.

Родился в Рязанской губ. Окончил Киевскую Духовную Академию. Приват-Доцент Киевского университета =1908=. Профессор по истории древней Церкви =1913-19=. Профессор догматики и истории Церкви в Софийской Духовной Академии =1919-31=. Умер в Софии 13 октября.

Митроп. Антоний, как православный богослов-догматист. Варш. 1929.
История христианской Церкви. Брюссель. 1964. стр. 613.

ПРЕОБРАЖЕНСКИЙ, Василий Васильевич. =1897-1946=.

Магистр истории. Педагог. Один из руководителей Рус. Студ. Христ. Движения в Прибалтике, и лектор на его съездах. При занятии Риги советскими властями, арестован агентами КГБ. Погиб в одном из лагерей.

Светлой памяти В. В. Болотова =1854-1900=. Рига. 1929.
Христианство и дохристианские религии. Рига. 1934.
Избранные жития святых. Печеры. 1938.

Ст. Мат. Биб. II. БЛ. =1941=.

ПУШКАРЕВ, Сергей Германович. =1888=.

Родился 26 июля в Слободе Казацкой Курской губ. В 1907 г. поступил на историко-филологический факультет Харьковского университета. С 1910 по 1914 учился в немецких университетах. Окончил Харьковский университет в 1918 г. Оставлен для подготовки к профессор. званию. Сражался в рядах Белой Армии. Магистр. =Прага, 1924=. Приват-доцент Русского Свободного университета. Секретарь академической группы, член Славянского Института, сотрудник =платный= Чешской Академии Наук. В 1945 уехал в зону американской оккупации и 4 года жил в лагерях "Ди-Пи". Переехал в Америку =1949=, где преподавал русский язык в различных университетах. С 1957 работает над сборником источников по русской истории под реакцией профессора Вернадского.

Кроме научных статей в чешских журналах и в "Записках русского Научно-Иследовательного Объединения" в Праге также издал:

Очерк истории крестьянского самоуправления в России. Прага. 1924. Свято-Троицкая Лавра. Пр. 1928.
Роль православие Церкви в истории русской культуры. Ладомирово. 1938.
Обзор русской истории. Н-Й. 1953. стр. 509.
Россия в XIX веке =1801-1919=. Н-Й. 1956. стр. 509.
The Emergence of Modern Russia. N.Y. 1963.

Мат. Биб. I. Бл. =1931=, II. Бл. =1941=.

РАЕВСКИЙ, С.

=Псевдоним Прот. Василия Демидова.=

РАЕВСКИЙ, С. =прод.=

Украинская автокефальная Церковь. Дж. 1948.

РАП, Глеб Александрович. =1922=.

Родился в Москве. Окончил Бреславский университет =1944=. Журналист. Жил на Формозе =1958-63=. Переехал в Германию.

Плененная Церковь. =псевдоним Ветров.= Франкф. 1954. стр. 113.

РАПОПОРТ, Людмила Александровна. =урожденная Бернарди=. =1904=.

Родилась 1 января в Одессе, дочь директора городского театра. Переехала в Париж в 1913 г. со своей семьею. Замужем за доктором. Знаток церковного пения. Регент хора в церкви св. Серафима Саровского в Париже.

Что я видела на Святой Земли. П. 1953. стр. 134.

РАСОВСКИЙ, Д. А. =1902-1941=.

Родился в Москве. Доктор философии Пражского университета. Статьи по истории и искусству. В 1938 г. переехал в Белград и работал там в вновь открытом Институте имени Н. П. Конадкова. Убит в апреле 1941 г. в первый день немецкой бомбардировки Белграда.

Мат. Биб. I. Бл. =1931=, и II. Бл. =1941=.

РЕЙМЕРС, Николай Александрович. =1894-1964=.

РЕЙМЕРС, Николай Александрович. =прод.=

Родился I8 января в Севастополе. Сын адмирала. Окончил Петербургский университет в I9I6 г. Морской офицер. Покинул Россию в I920 г. Работал таксистом в Париже с I924 г. Доктор Сорбонны =I930=. Умер в Париже. Некролог в "Возрождении" =Париж=, № I44, дек. I963.

Le concept du Beau. P. 1950.
Эстетические принципы в Истории. П. I93I. стр. 90.
Право и мораль. П. I934. стр. 32.
Всемогущий Эрос. П. I937. стр. 32.
Дедукция понятия движения. П. I937. стр. 66.
О правом и левом мышлении. П. I949. стр. I72.

РОДЗЯНКО, Лидия Эрастовна. =урожденная de Hautpic=. =1898=.

Родилась 6 июля в Курской губернии в имении матери. Окончила гимназию Таганцовой в Петербурге. Служила сестрой милосердия =I9I5-20=. Вышла замуж за Н. М. Родзянко в I92I г. в Сербии. В I924 г. переехала во Францию. Художница. С I958 по I966 г. стояла во главе одного из старческих домов под Парижем.

О святой земле и паломничестве. П. I958. стр. 72.

РОДЗЯНКО, Михаил Михайлович. =I884-I956=.

Родился первого декабря в Петербурге. Сын помещика и сам помещик. Окончил Московский университет. Мировой судья. Поселился в Югославии в I9I9 г. В I946 основался во Франции. В I95I г. переехал в Америку, где и умер около Нью-Йорка. Последние годы своей жизни посвятил себя церковному пению и писал на эту тему.

Правда о зарубежной Церкви. П. I954.

РОДЗЯНКО, Владимир Михайлович. Протоиерей. =1915=.

Родился 22 мая в имении "Отрада" в Ехатеринославской губернии. Сын помещика. Эвакуировался с родителями в 1919 г. в Югославию. Окончил богословский факультет Белградского университета в 1937. Рукоположен в 1944. Служил на сербском приходе. Арестован и посажен в концентрационный лагерь коммунистами. Выслан в Европу и поселился в Англии =1953=. Ведет церковную работу и заведует религиозной программой Британского Радио для России. Начиная с 1968 г. стоит во главе Братства Св. Симеона и редактирует журнал "Aion". Автор многочисленных статей в журналах и участник экуменических сборников.

РОЖДЕСТВЕНСКИЙ. Протоиерей Александр Петрович. =1865-1930=.

Сын священника. Родился в Псковской губернии. Окончил Петербургскую Духовную Академию в 1890 г. Магистр богословия и доцент =1896=. Профессор Ветхого Завета =1902=. Рукоположен в 1903 и назначен настоятелем церкви св. Николая при Мариинском дворце, законоучитель дочерей Государя, =1904-10=. Доктор богословия =1911=. Диссертация на тему "Книга премудрости сына Сирахова". Покинул Россию в 1920 г. Профессор богословского факультета в Софии =1922=. По болезни вышел в отставку в 1923 г. Умер в Моравской Тшебове в Чехословакии.

Святейший Тихон патриарх Московский. София. 1922. стр. 24.

РОЗОВ, Владимир Алексеевич. =1876-1940=.

Родился 15 июня. Сын профессора Киевской Духовной Академии.

РОЗОВ, Владимир Алексеевич. =прод.=

В 1903 окончил филологический факультет Киевского университета. В 1907-08 г. изучал славянские рукописи в странах Ближнего Востока. Профессор славянской филологии в Нежинском институте =1916=. Профессор университета в Тавриде =1918-20=. Преподавал русский язык в Загребском университете =1920-40=. Умер 21 мая в Загребе. Многочисленные статьи преимущественно в Югославских журналах.

Мат. Биб. I. Бл. =1931=.

РУБЕЦ. Протоиерей Александр Александрович. =1882-1956=.

Родился 22 февраля в Иркутске. Сын доктора. Окончил Александровский Лицей в Царском Селе =1903=. Преподавал в Финляндии =1915-17=. Профессор русского языка в Упсальском и Стокгольмском университете. Автор статей и брошюр в русском и шведском языках. Принял священство, оставаясь профессором.

Patriarkatets a terställelse i Ryssland. Upsala. 1921.
(The restoration of the patriarchate in Russia.)
Rysslands nuvarande litteratur. Stockholm. 1929.

Ст. Мат. Биб. I. Бл. =1931=

РЯЗАНОВСКИЙ, Валентин Александрович. =1884-1968=.

Окончил гимназию в Костроме и Московский университет =1908=. Изучал историю, филологию и право. С 1915 г. преподавал в Демидовском Лицее в Ярославле. Профессор Томского университета =1918=, Иркутского =1920=, Дальневосточного =1921=. Профессор юридического факультета в Харбине =1922-34=. Переехал в Китай =1935=, в Америку =1938=. Умер 19 февраля.

РЯЗАНОВСКИЙ, Валентин Александрович. =прод.=

Обзор русской культуры. Том I, стр. 638; том 2, часть I, стр. 557; часть 2, стр. 222. Н-Й. 1947-48.
Развитие русской научной мысли. 1949.

Он также автор следующих трудов:

Customary law of the Mongol tribes. 1929.
Fundamental principles of Mongol law. Tientsin. 1937. Indiana U.1965.343 pp.
Customary law of the nomad tribes of Siberia. Tientsin. 1938. Indiana Univ. 1965. 151 pp.

РЯЗАНОВСКИЙ, Николай Валентинович. =1923=.

Родился 2I декабря в Харбине. Высшее образование получил в Америке в Орегоне и Харварде =1947=. Доктор философии, Оксфорд =1949=. Профессор истории в Берклей в Калифорнии.

Russia and the West in the Teaching of the Slavophils. Harvard. 1952. 244 pp. German edit. 1954.
Nicholas I and the official nationality in Russia. Univ.of Calif.1959.296pp.
A history of Russia. N.Y. 1963. 711 pp. Italian edit. 1967.
The teaching of Charles Fourier. Univ. of California. 1969. 256 pp.

САВИЦКИЙ, Петр Николаевич. =1895-1968=.

Родился в Черниговской губ. Окончил Петроградский Политехнический Институт =1917=. Профессор Пражского университета. Глава Евразийского Движения и издательства. =Берлин, Париж, Прага, 1921-1939=. Исключен немцами из университета после занятия ими Чехии, после прихода Красной Армии арестован и сослан в концентрационный лагерь =1945=. Возвращен в Чехию в 1956. Вновь арестован в 1961. Умер 13 апреля в Праге.

САВИЦКИЙ, Петр Николаевич. =прод.=

Статьи по экономике, географии, философии истории переведены на I5 языков. См. Мат. Биб. I. Бл. =I93I= и II. Бл. =I94I=.

Географические особенности России. Пр. I927. стр. I80.
Россия - особый географический мир. Пр. I927. стр. 68.
О задачах кочевноведения. Пр. I928. стр. 26.
В борьбе за Евразийство. Пр. I93I. стр. 54.
Стихи. =П. Востоков.= П. I960. стр. 294. =Передают переживания автора в советском лагере.=

САЗИКОВ, Н.

Тьма жизни и свет Христов. Нарва. I937. стр. 63.

САЛТЫКОВ, Александр Александрович. Граф. =I865-I940?=.

Поэт, философ и историк русской культуры. Печатал статьи в журнале "Путь" в I930-35 г. Жил в Германии.

Две России. М. I922. =Национально-психологические очерки.=

Книги стихов:

Первая. "Трофеи".
Вторая. "Оды и гимны". М. I922? стр. I20.
Третья. "Античные мелодии".

САМАРИН, Владимир. =псевдоним Владимира Дмитриевича СОКОЛОВА=. =1913=.

Родился 2 марта в Орле, сын юриста после революции работавшего ломовым извозчиком. Окончил среднюю школу в Орле, был исключен из педагогического института за "сокрытие социального происхождения". В 1936 году все же закончил институт и занимался преподаванием русской литературы в Воронеже. В 1944 году попал в Германию. Писал в антикоммунистической газете "Воля Народа", =1944-45=. Редактировал в английской зоне Германии еженедельник "Путь" =1946-49=. Был одним из редакторов "Посева" в американской зоне, =1949-51=. В 1951 году переехал с семьей в Нью-Йорк. Работал плотником, сотрудничал в зарубежной прессе "Грани", "Возрождение", "Русская Мысль", "Новое Русское Слово". Выпустил три сборника рассказов, =1964-1969=. С 1959 преподает в Йельском университете.

The triumphant Cain. (An outline of the Calvary of the Russian Church.) N.Y. 1972. pp. 62.

САХАРОВ. Протопресвитер Николай Николаевич. =1869-1951=.

Сын священника. Родился в Костроме. Окончил Костромскую семинарию и СПБ Духовную Академию в 1893 г. Был назначен псаломщиком в Штутгарт; переведен в Берлин. В 1898 г. посвящен в сан иерея. Был помощником прот. Мальцева в деле перевода и издания православных богослужебных текстов на немецком языке. В 1914 г. переведен на должность второго священника Парижского храма Александра Невского. Один из основателей Русской Гимназии в Париже. Организатор религиозных собеседований, редактор Церковного Вестника и председатель Просветительного епархиального комитета. С 1934 г. настоятель Александро-Невского собора в Париже. Скончался 31 марта.

Многочисленные статьи о православии и католичестве.

САХАРОВ, Николай Николаевич. =прод.=

Очерки христианского вероучения. П. I92I. стр. I30.
Христианская вера и христианская жизнь. П. I929.
Православие и католичество. П. I926. стр. 48.

СВИТИЧ, Александр Каллиникович. =I890-I963=.

Родился I5 марта. Сын священника. Окончил богословский факультет Варшавского университета. Преподавал богословие в Виленской семинарии. Работал журналистом. Издавал журнал "В ограде Церкви", Варш. I930-33. Защитник Православной Церкви в Польше. Умер в Денвере =Колорадо= I7 августа.

Православная Церковь в Польше и ее автокефалия. Буэнос-Айрес. I959. стр. 23I.

СЕРАФИМ. Архиепископ. =Леонид Георгиевич Иванов=. =I897=.

Родился I августа в Курске. Поступил на филологический факультет Московского университета =I9I4=. Участвовал в первой мировой и в гражданской войне. Покинул Россию I920. Окончил богословский и философский факультеты в Белграде в I925. Постригся на Афоне в I926 и рукоположен в иеромонахи в Скопье. С I928 по I946 г. был иеромонахом, затем архимандритом Ново-Почаевского монастыря во Владимирове =Карп. Россия=. Посвящен в епископа в I946 г. и переехал в Джорданвилл в Америку. С I957 Архиепископ Чикагско-Детройский, юрисдикции Заграничного Синода.

С I93I г. по I950 г. редактировал двухнедельную газету, ставшую журналом "Православная Русь". Несколько лет редактировал журналы: "Детство во Христе" и "Православния Жизнь". Написал за эти годы больше 200 передовиц, очерков и рассказов.

СЕРАФИМ. =Леонид Георгиевич Иванов=. =прод.=

Отдельными изданиями вышли следующие книги:

I. "Отрок Прохор". Повесть о детстве и юности преп. Серафима. I935.
2. "Пионер Сталинец". Апологетическая повесть. I937.
3. "Вечные загробные тайны". Книга о пакибытии. I939. стр. 220.
4. "Практическое руководство для священнослужителей при совершении треб. I942. стр. I40.
5. "Паломничество в Святую Землю". I953. стр. I75.
6. "Одигитрия Русского Зарубежья". О Курской чуд. иконе Б. Матери. I955 и I963. стр. I73.
7. "Суббота Великого Покоя". Сборник статей литургического характера. =Посвящен арх. Серафиму и содержит его биографию.= I959.
8. "Умные Небесные Силы". Об ангельском мире. I962.

и еще несколько брошюрок: "Московские катакомбы", "Судьбы России" и т.д.

Избранные беседы по церковному радио. Чикаго. I968. стр. 44.
"И свет во тьме светит". Чикаго. I972. стр. I42.
На Афоне. Владимирова. I93I. стр. I6.

СЕРАФИМ. Архиепископ. =Соболев=. =I88I-I950=.

Родился первого декабря в Рязане. В I908 г. окончил Петербургскую Духовную Академию. До I9I9 г. был ректор Воронежской семинарии. Посвящен в епископа Любенского I октября I920 г. Управлял русскими приходами в Болгарии до I946 г., будучи членом русского Зарубежного Синода и богословским противником о. Сергия Булгакова. В I946 вступил в общение с Московской Патриархией и принимал участие в Московском Совещании Право-

СЕРАФИМ. =Соболев=. =прод.=

славных Церквей в 1948, выступая против участия в Экуменическом Движении. Умер 26 февраля в Софии. Некролог в Журнале Московской Патриархии, № 4, 1950.

Новое учение о Софии Премудрости Божьей. София. 1935. стр. 525.
Прот. С. Булгаков, как истолкователь Свящ. Писания. София. 1936. стр. 41.
Защита софианской ереси прот. С. Булгаковым. София. 1937.
Русская идеология. София. 1939. стр. 180.

СЕРАФИМ. Игумен. = ? -1959=.

Работал миссионером в Китае. Прибыл в Палестину с останками Вел. Княгини Елизаветы Федоровны. Умер в Иерусалиме 22 февраля.

Венок почившему доброму пастырю. =Памяти прот. Павла Фигуровского.= Пекин. 1920.
Православный царь мученик. Пекин. 1920. стр. 177.
Светлой памяти Дамиана патриарха Иерусалимского. Варшава. 1932. стр. 16.

СЕРГИЕВСКИЙ, Н.

Св. Тихон Задонский. 1965. стр. 211.

СЕРГИЙ. Епископ Пражский. =Аркадий Дмитриевич КОРОЛЕВ=. =1881-1952=.

Родился в Москве 18 января в купеческой семье. Окончил Московскую Духовную Академию. Принял монашество и рукоположен в 1907. Настоятель Яблочинского монастыря на Волыни =1914=. Посвящен в епископа 1921 в Вильне. Выслан из Волыни поляками. Настоятель русского прихода в Праге =1922-46=. Епископ в Вене 1948, в Берлине 1948. В 1950 г. вызван патриархом в Россию. Умер 18 декабря архиепископом Казанским.

О подвиге общения. Печеры. =Эстония.= 1938. стр. 12.
О благобытии. Печеры. 1938. стр. 15.
Из бесед Владыки Сергия Пражского. П. 1957. стр. 88. =Книга содержит его краткое жизнеописание.=

СЕРГИЙ. Митрополит Японский. =Тихомиров=. =1871-1945=.

Окончил Петербургскую Духовную Академию =1896=. Ректор Петербургской Семинарии =1899=. Ректор Петербургской Академии =1905=. Послан епископом миссионером в Японию =1908=. Глава Православной Японской Церкви =1912-45=.

Русско-японская война и архиепископ Николай. П. 1932.
Двоенадесятница святых апостолов. П. 1935. стр. 409.

СЕРИКОВ. Протоиерей Георгий Сергеевич. =1902=.

Родился в Москве 26 мая. Окончил Богословский Институт в Париже в 1930 г. Рукоположен в 1940 г. Служил настоятелем многих приходов во Франции. Видный член Рус. Студ. Христ. Движения, лектор, проповедник, композитор. Член братства Св. Троицы. Многочисленные статьи на богословские и литургические темы в "Вестнике. Р.С.Х.Д.", в "Вечном", в "Церковном

СЕРИКОВ, Георгий Сергеевич. =прод.=

Вестнике Западного Европейского Экзархата" и других журналах.

О Богородичных Праздниках. =Готовится к печати.=

СЕРЫШЕВ. Священник Иннокентий Николаевич. =1883=.

Сын священника родился 15 августа в Больше-Кударинской станице Забайкальской области на границе с Монголией. В 1900 г. окончил реальное училище в Троицкосавске и поступил в Технологический Институт в Томске, ушел из него с третьего курса. Рукоположен в священники в 1906, переменил несколько приходов на границах Монголии. Основал общества трезвости, вводил кооперацию, увлекся эсперанто. В 1910 г. в течение трех месяцев объехал Европу. В 1917-18 г. работал в Культурно-просветительном отделе Алтайских кооперативов. Уехал в Японию при приближении красных. Вернулся в Харбин и преподавал там и в Пекине. С 1926 г. обосновался в Сиднее, где продолжал свою религиозно-педагогическую и издательскую деятельность. Редактор ряда периодических изданий, некоторые из них размножались на ротаторе, другие печатались в его домашней типографии. До второй мировой войны издавал журналы: "Церковь и Наука","Путь Эмигранта", "Азия", "Австралазия". Им же напечатаны "Русская Культура", "Лечебный Сборник","В часы досуга, в минуты раздумья" =15 номеров=, "Миссионерские Листки" =15 номеров=, "Православие", "Критический Сборник".

Многочисленные статьи по этнографии Сибири, Японии и Китая. Ряд из них печатался на эсперанто. Его автобиография в 4 томах, находится в рукописи. Она описывает его приходскую деятельность в Забайкалье, события революции на этой окраине России, жизнь в Японии и Китае и деятельность в Австралии.

Альбом Великих, Знаменитых и Выдающихся Лиц России. Т. I-III.

СЕРЫШЕВ. Священник Инокентий Николаевич. =прод.=

Сидней. 1946-53=.

Мат. Биб. II. Бл. =1941=.

СЕТНИЦКИЙ, Н. А.

Преподавал на юридическом факультете в Харбине.

Капиталистический строй в изображении Н. Ф. Федорова. Харбин. 1926.
Русские мыслители о Китае. =Н. Федоров и Вл. Соловьев=. Харбин.
Эксплуатация. Харбин. 1928.
О конечном идеале. Харбин. 1932.
СССР, Китай и Япония. Харбин. 1933.

Ст. Мат. Биб. I. Бл. =1931=, II. Бл. =1941=.

СИКОРСКИЙ, Игорь Иванович. =1889-1972=.

Родился 25 мая в Киеве. Сын известного врача психиатра и педагога. Учился в Киевском и Петербургском политехнике. С 1908 года начал заниматься конструкцией самолетов и геликоптеров. В 1913 году сконструировал первый в мире многомоторный авион "Илья Муромец". В 1919 г. переселился в Америку и стал там одним из самых известных конструкторов всевозможных летающих аппаратов. Умер 30 октября в Стратфорде.

Значение Господней молитвы.
Невидимая встреча.
Эволюция души.

СИМЕОН. Архимандрит. =Сергей Григориевич Нарбеков=. =I884-I969=.

Родился 26 июля в Сергиевском Посаде. Пострижен в монашество в I9I0 г. Окончил Московскую Академию в I9II г. В I9I6 назначен настоятелем посольской церкви в Риме. Умер в Риме.

Евангельские поучения. Дж. I970.

СИНАЙСКИЙ, Василий Иванович. =I876-I949=.

Родился 25 июля в Тамбовской губернии. Сын священника. Окончил Духовную семинарию Тамбова и юридический факультет Юрьевского университета =I904=. Профессор римского права в Юрьеве =I908-II=. Профессор гражданского права в Киеве =I9II-22=, и в Риге =I922-44=. Скончался в Брюсселе 2I сентября. Большинство его многочисленных трудов посвящено или римскому или гражданскому праву и потому не включено в прилагаемый список.

Chronologie et historiographie de Rome. Riga. 1925.
Ромул и Иисус Христос. Рига. I926.
Псково-Печерский монастырь. Рига. I929.
Культура и Право. Рига. I939.

Ст. Мат. Биб. I. Бл. =I93I=.

СКВОРЦОВ, Василий Михайлович. =I859-I932=.

Родился I2 января. Сын священника. Окончил Киевскую Духовную Академию. Основатель внутренней миссии. Редактор "Миссионерского Обозрения" =I896-I9I7=, и "Колокола" =I905-I7=. Преподавал в Сараевской семинарии Югославия.

Социализм в свете Священного Писания. I934.

СКВОРЦОВ, Василий Михайлович. =прод.=

Евангельские беседы на каждый день.
Спор между православным и адвентистом.

СКОБЦОВА. Мать Мария. =Елизавета Юрьевна Пиленко=. =I89I-I945=.

Родилась 8 декабря в Риге. Первая женщина, окончившая Петербургскую Духовную Академию =заочно=. Член соц.-революц. партии. Городской голова Анапы =I9I7=. Покинула Россию в I92I. Поселилась в Париже. Приняла монашество в I932. Секретарь Рус. Студ. Христ. Движения. Основала "Православное Дело". Арестована немцами за укрывательство евреев в I943. Погибла в лагере.

Жатва Духа. I и II т. П. I927. стр. 44 и 44.
А. Хомяков. П. I929. стр. 6I.
В. Соловьев. П. I929. стр. 50.
Достоевский и современность. П. I929. стр. 74.
Мать Мария. П. I947. =Биография и стихи.= стр. I65.
Стихи. П. I949. стр. 99.

СЛОБОДСКОЙ. Протоиерей Серафим Алексеевич. =I9I2-I97I=.

Родился II сентября в селе Черновка под Пензой в семье священника. Отец погиб в концентрационном лагере. Сын как лишенец не мог получить полного образования, но учился живописи, посещая курсы поощрения художеств. Во время второй мировой войны попал в батальон лишенцев, но избежал смерти. Взят в плен немцами, выжил благодаря своим дарованиям художника и после долгих скитаний и опасностей переселился в Америку. Приняв священство был настоятелем прихода в Найяке, где построил храм. Умер 5 ноября.

СЛОБОДСКОЙ. Протоиерей. =прод.=

Краткий сборник статей апологетического содержания. Дж. 1958. стр. 96.

Закон Божий. Дж. 1967. стр. 576.

СМИРНОВ, Николай Петрович. Протоиерей. =1876-1972=.

Родился 12 апреля. Окончил С. Петербургскую Семинарию. Рукоположен в 1897. Вольнослушателем кончил С. Петербургскую Академию. Сослан в концентрационный лагерь =1930=. Бежал в Австрию в 1943 г. Переехал в Аргентину =1948=. Издал в Советской России несколько работ по биоклиматике и фенологии.

Златая цепь святости на Руси. Буэнос Айрес. 1958.

СМОЛИЧ, Игорь Корнилович. =1898-1970=.

Родился 27 мая. Покинул Россию в 1920 г. Поселился в Берлине =1923=. Окончил Берлинский университет. Член Рус. Студ. Христ. Движения. Умер в Берлине 2 ноября.

Leben und Lehre der Starzen. Vienne.1936.Köln.1952. Фр. пер. П. 1967. стр. 226.

Das Alt-Russische Mönchtum. Wurzburg. 1940.

Russisches Monchtum. (1448-1917). Wurzburg. 1953. 556 pp.

Die Russische Kirchliche Mission in Jerusalem. 1950.

Geschichte der Russische Kirche. Leiden. 1964.

СОВЕ, Борис Иванович. =1900-1962=.

Родился 21 декабря в Выборге, в купеческой семье. Мальчиком был прислужником будущего патриарха Сергия, тогда архиепископа

СОВЕ, Борис Иванович. =прод.=

Финляндского. Учился в Петербурге в Технологическом институте. Окончил в 1928 г. Богословский Институт в Париже, в 1931 - бакалавр литературы Оксфордского университета. Преподавал Ветхий Завет в Институте до 1939. Библиотекарь славянского отдела библиотеки Гельсингфорского университета =1941-1962=. Умер 15 августа.

Оставил рукописи:

Исторический очерк исправления Богословских книг в России.
История гимнографии Русской церкви.
История литургической науки в России.
Русский Гоар.
Биография в Вестнике Р.С.Х.Д. № 68-69. 1963.

См. Зан. 1954.

СОЛДАТОВ, Георгий Михайлович. =1932=.

Родился в Новосибирске 8 июля. Окончил русскую гимназию "Доброго Самаританина" в Мюнхене и св. Троицкую семинарию в Джорданвилле в Америке. Магистр русской литературы и цивилизации Миддлебери колледж в Вермонте. Преподает русскую литературу в Америке.

Арсений Мацеевич, митрополит Ростовский. 1696-1779. St. Paul, Minnesota. 1971. стр. 130. =Рот.=

СОЛЛОГУБ. Аполлон Александрович, граф. =1891=.

Родился 8 декабря в Калуге. Окончил юридический факультет Петербургского университета. Участник первой мировой войны и Белого Движения. С 1921 по 1945 жил в Польше. С 1939 по

СОЛЛОГУБ, Аполлон Александрович. =прод.=

I945 был товарищем предс. Совета Объединенных Русских Православных Приходских Братств в Варшаве. Представитель арх. Стефана Австрийского перед американскими и австрийскими властями по церковным делам =I946-50=. Переехал в Америку в I950. Первым поднял вопрос о канонизации о. Иоанна Кронштадского на Архиерейском Соборе Зарубежной Церкви в I950. Секретарь комитета по увековечению его памяти. Публицист, издатель и церковный деятель. Редактор журнала "Зарубежная Русь", Н-Й., I967, I968 и I969 г.

О. Иоанн Кронштадский - жизнь, деятельность и чудеса. Дж. I95I.
Русская Православная Церковь заграницей. Т. I. стр. 76I; т. 2. стр. 689. Иерусалим. I968.
Россия =862-I9I7=. Н-Й. I972. стр. I55.

СОЛОВЬЕВ, Александр Васильевич. =I890-I97I=.

Родился 6 сентября в Калише. Окончил Варшавский университет. Профессор Белградского университета =I920-36=. Профессор Женевского университета =I953-60=. Византолог и балкановед. Умер в Женеве I5 января.

Histoire du Monastère Russe du Mont-Athos. B. 1933.
Holy Russia. S. Gravenhuge. 1959.

Мат. Биб. I. Бл. =I93I= и II. Бл. =I94I=.

СОФРОНИЙ. Архимандрит. =Сергей Семенович Сахаров=. =I896=.

Родился в Москве. Учился в Богословском Институте в Париже =I923-25=. Постригся на Афоне =I925=. Рукоположен в I94I. Вернулся во Францию =I947=. Игумен монастыря в Англии с I960.

СОФРОНИЙ. Архимандрит. =прод.=

The Undistorted Image. Staretz Silouan (1866-1938). L. 1958. pp. 207.
Unité de l'Eglise à l'image de la Sainte Trinité. P. 1958. нем. пер. I959.

СПАССКИЙ. Протоиерей Георгий. =I877-I934=.

Родился 26 сентября в семье священника в Гродненской губ. Окончил Московскую Духовную Академию =I902=. Рукоположен в I903 г. Законоучитель в Вильне. Настоятель собора в Севастополе во время революции =I9I7-20=. Эвакуировался с Русским Флотом в Бизерту. Священник Александро-Невского собора в Париже. Умер I6 января.

О Георгий Спасский. Биография, Проповеди и Слова. П. I938. стр. 364.

СПАССКИЙ, Феодосий Георгиевич. =I897=.

Родился 23 мая в Нежине. Учился в Нежинском истор.-филологическом Институте I9I5-I7 гг. Работал в Югославии I920-25 гг. Окончил Богословский Институт в Париже в I928 г. Профессор литургики. Секретарь и казначей Богословского Института с I943 г.

Русское Литургическое Творчество. П. I95I. стр. 3I8.

Зан. I947, I954, I965.

СПЕКТОРСКИЙ, Евгений Васильевич. =I875-I95I=.

Окончил Варшавский университет. Профессор права Варшавского университета. Ректор Киевского университета =I9I8=. Профессор Белградского университета =I920-30=, Люблянского универси-

СПЕКТОРСКИЙ, Евгений Васильевич. =прод.=

тета =I930-45=. Профессор Св.-Влад. Семинарии в Нью-Йорке. Опубликовал больше I50 книг и статей. Умер в Америке 3 марта.

Христианство и культура. Пр. I925. стр. 308.
Начало науки о государстве и обществе. Бл. I927. стр. I44.
Матерьялы для Библиографии Русских научных трудов за рубежом I920-I930. Бл. I93I.
История Социальной философии. Любляны. Т. I, I932; т. II, I938.
Государство и его жизнь. =по-сербски.= Бл. I938. стр. 222.
Столетие Киевского университета. Любляны. I935.
Принципы русской внешней политики XIX века. Нарва. I937.
Russische Rechts Philosophie.
Либерализм. Введение в изучение социологии. Франкфурт.
Энциклопедия права. Братислава. I939-40.
Государственное право. Братислава. I939-40.
Чехов. Бл. I93I. стр. 74.
Uvod v sociologiju scripta. Ljubljana.

Ст. Мат. Биб. I. Бл. =I93I=. Мат. Биб. II. Бл. =I94I=.

СПЕРАНСКИЙ, Валентин Николаевич. =I877-I957=.

Преподавал в Петербургском университете. Известный лектор по религиозным и литературным темом. Многочисленные статьи в эмигрантской прессе. Родился 25 апреля. Умер 8 ноября.

La Maison à destination spéciale. P. 1929.

Ст. Мат. Биб. I. Бл. =I93I=.

СТАВРОВСКИЙ, Алексей Владимирович. =I905=.

СТАВРОВСКИЙ, Алексей Владимирович. =прод.=

Родился 28 августа в Петербурге. Учился в Петербургской и Ялтинской гимназиях. Среднее образование закончил в Константинополе в I92I году в Русской гимназии Союза Городов. Слушал лекции в Софийском Ближне-Восточном Институте политических и экономических наук и на философском и богословском факультете Берлинского университета и в Православном Богословском Институте в Париже.Окончил Сорбонну по словесному факультету. С I925 по I93I г. основатель и начальник братства Св. Фотия. С I93I по I936 член редакционной коммиссии "Голоса Литовской Епархии". С I940 по I944 член Епархиального Совета Литовской Епархии. С I948 по I956 г. редактор газеты "За Правду" - орган христианского возрождения в Буэнос-Айрес. С I96I г. переселился в Мадрид, где занимается печатанием книг и богословием.

Христианская Россия. Буэнос Айрес. I954.
Essai de theology irenique. Madrid. 1966. 266 pp.

СТЕПУН, Федор Августович. =I884-I965=.

Родился в Москве 6 февраля. Окончил Гейдельбергский университет =I9I0=. Редактор международного философского журнала "Logos" =I9I0-I4=. Лектор по философии и литературе. Директор Показательного Театра =I920-22=. Выслан из России =I922=. Профессор в Дрездене =I926-37= и в Мюнхене с I947 г. Умер 23 февраля в Мюнхене. Один из редакторов "Нового Града".

Жизнь и творчество. Б. I923. стр. 249.
Основные проблемы театра. Б. I923.
Письма прапорщика артиллериста. Пр. I925.
Николай Переслегин. П. I929. Нем. пер.
Wie war das Möglich. M. 1929.
Das Antlitz Russlands und das Gesicht der Revolution. Leipzig. 1934.

СТЕПУН, Федор Августович. =прод.=

The Russian Soul and Revolution. L. 1936. pp. 184.
Dostojewskij. Heidelberg. 1950.
Бывшее и не сбывшееся. Т. I, стр. 396; т. II, стр. 429. Н-Й. 1956. Нем. пер.
Theater und Film. M. 1953.
Der Bolschewismus und die Christliche Existenz. M. 1959.
Dostoejevskij und Tolstoj. M. 1961.
Встречи. М. I962. стр. 206.
Mystische Weltschau. M. 1964.

Мат. Биб. I. Бл. =I93I=.

СТРАТОНОВ, Иринарх Александрович. = ? -I942?=

Окончил Казанский университет. Магистерская диссертация "О земских соборах". Преподавал русскую историю. Покинул Россию после революции и поселился в Берлине. В I93I г., когда митр. Евлогий вышел из московской юрисдикции, Стратонов вместе с прот. Прозоровым возглавляли приход, оставшийся в подчинении митр. Сергию. Арестован немцами в I94I г. Погиб в концентрационном лагере.

Документы всероссийской патриаршей Церкви. Б. I927.
Развитие церковной смуты. Вюрцелсдорф. I928.
Русская церковная смута. Б. I932.
Происхождение современного устройства патриаршей Церкви. П. I933.

СТРЕМОУХОВ, Дмитрий Николаевич. =I900-I96I=.

Учился в Загребе и Париже. Профессор в Сорбонне =I959-6I=.

V. Solovjev et son oeuvre messianique. P. 1935.

СТРУВЕ, Глеб Петрович. =I898=.

Родился в Петербурге. Баколавр литературы Оксфордского университета. Преподавал в Школе Славянских языков при Лондонском университете. Профессор Калифорнийского университета. Один из самых известных литуроведов эмиграции. Редактор собрания сочинений Б. Пастернака и других поэтов.

Soviet Russian Literature. L. 1935.
A Heroic Legend. L. 1935.
25 Years of Soviet Russian Literature. (1918-1943). L. 1944 and 1951.
Русский европеец. =П. Б. Козлов.= Сан-Франциско. I950.
Русская литература в изгнании. Н-Й. I956. стр. 408.
К биографии А. Белого. Неаполь. I970. стр. 67.
Russian Literature under Lenin and Stalin. (1917-1953). Norman. 1971. 454pp.

СТРУВЕ, Никита Алексеевич. =I93I=.

Родился I6 февраля в Париже. Окончил Сорбонну. Преподает в Парижском университете. Редактор "Вестника Рус. Христ. Движения".

Les chrétiens en URSS. P.1963. Нем. пер. I965. Англ. пер. I967. стр. 464.

СТРУВЕ, Петр Бернгардович. =I870-I944=.

Родился в Перми 26 января. Сын губернатора, внук основателя Пулковской обсерватории. Окончил юридический факультет Петербургского университета. Примкнул к марксистам. Эмигрировал в Германию в I90I, издавал там журнал "Освобождение". Вернулся в Россию в I905 г. Член Второй Государственной Думы. Принимал участие в сборнике "Вехи" =I909=. Профессор экономики. Член Академии Наук. Редактор "Русской Мысли" =I907-I8=.

СТРУВЕ, Петр Бернгардович. =прод.=

Покинул Россию =1919=. Принимал деятельное участие в политической жизни русской эмиграции. Жил в Париже. Редактировал газеты "Возрождение" =1925-27=, "Россия" =1927-28=, "Россия и Славянство" =1928-33=, журнал "Русская Мысль". София =1921=, Прага =1922-23=, Париж =1927=. В 1928 переехал в Белград, где он возглавлял Русский Научный Институт. В 1940 вернулся во Францию, где и умер 26 февраля. Во время войны погибли ценные его рукописи.

Статьи о Толстом. София. 1921.
Размышления о русской революции. София. 1921.
Историко-политические заметки о современности. София. 1921.
Итоги и существо коммунистического хозяйства. Б. 1921. стр. 387.
Социальная и экономическая история России. П. 1952. =Содержит полную библиографию его трудов. Более 660 заглавий.=

Ст. Мат. Биб. I. Бл. =1931=.

СУРСКИЙ, И. К. =псевдоним Якова, Вениаминовича Ильяшевича=. = ? -1953=.

Окончил Императорское Училище Правоведения. Служил при Правительствующем Сенате. Был секретарь "Общества в память о. Иоанна Кронштадского". После революции жил в Югославии; умер там же 23 марта.

Отец Иоанн Кронштадский. Белград. 1938. стр. 268.

ТАЛЬБЕРГ, Николай Дмитриевич. =1886-1969=.

Родился 10 июля близ Киева. Окончил в 1907 Императорское

ТАЛЬБЕРГ, Николай Дмитриевич. =прод.=

Училище Правоведения. Занимал ряд должностей на государственной службе. Покинул Россию в 1922 г. Жил в Германии и в Югославии. Переехал в Америку в 1950 г. Преподавал в семинарии при Св. Троицком Монастыре в Джорданвилле.

Церковный Раскол. П. 1927. стр. 47.
Святая Русь. П. 1929. Дж. 1964. стр. 25.
Мясецеслов Русских Святых. Дж. 1954. стр. 140.
Русская Православная Церковь в Северной Америке. Дж. 1955.
Муж верности и разума. К. П. Победоносцев. Дж. 1957. стр. 88.
История Русской Церкви. Дж. 1959. стр. 925.
Отечественная Быль. Дж. стр. 336.
К сороколетию пагубного Евлогианского раскола. Дж. 1966.

ТАРАСИЙ. Иеромонах.

Перелом в русском богословии. Варшава. 1927. стр. 185.

ТЕЛЬБЕРГ, Георгий Густавович. =1881-1954=.

Профессор политической экономии Саратовского университета. Профессор юридического факультета в Харбине. После второй мировой войны переехал в Америку. Умер в Нью-Йорке 24 февраля.

Последние дни Романовых. Н-Й. 1922.
The Conception of War in the International Law. Peking. 1927.

ТЕЛЬБЕРГ, Георгий Густавович. =прод.=

Заря христианства в России. Шанхай. 1939. стр. 330.

Список статей: Мат. Биб. I. Бл. =1931=. Мат. Биб. II. Бл. =1941=.

ТИМАШЕВ, Николай Сергеевич. =1886-1970=.

Родился в Петербурге 9 ноября. Сын министра Торговли и Промышленности =1909-15=. Окончил Александровский Лицей. Учился в Германии. Преподавал в Петербургском университете =1914-17=. Декан Политехнического Института =1918=. Бежал из России =1921=. Преподавал в Праге =1923-28=. Научная и общественная работа в Париже =1928-36=. Профессор Харвардского и Фордэмского университета. Умер 9 марта в Нью-Йорке.

Право Советской России. I и II т. Пр. 1924. Нем. пер. 1925.
Введение в изучение уголовно-судебного права. Пр. 1925.
Политическое и административное устройство СССР. П. 1931.
An Introduction to the Sociology of Law. Cam. Man. 1939. pp. 418. Франц. и японск. пер.
Religion in Soviet Russia. N.Y. 1942. pp.171. Порт., швед., дат., китайск., и испан. пер.
One Hundred Years of Probation. N.Y.1944. Ч. I. стр. 88; ч. 2. стр.70.
The Great Retreat. N.Y. 1946. pp.470. Порт., швед., китайский пер.
Three worlds. Milwaukee. 1949. pp. 263.
Probation in the Light of Criminal Statistics. N.Y. 1949. pp. 47.
Sociology. Milwaukee. 1949. pp. 399.
Sociological Theory. N.Y. 1955. 323 pp. Порт. и исп. пер.
General Sociology. Milwaukee. 1959. pp. 454.
The Sociology of Luigi Starzo. Baltimore. 1962. pp. 247.
War and Revolution. N.Y. 1965.
Сборник в честь Проф. Тимашева, включающий его полную библиографию: "На темы русские и общие", Нью-Йорк, 1965.

ТОЛЛЬ, Николай Петрович. =I894=.

Доктор философии Пражского университета. Писал на темы христианского искусства и археологии. Переехал в Америку.

Мат. Биб. I. Бл. =I93I=; II. Бл. =I94I=.

ТОЛСТАЯ, Александра Владимировна. =I880- I967=.

Родилась I5 апреля. Урожденная Глебова. Жена графа Михаила Львовича Толстого. Покинула Россию в I920 г. Жила во Франции, переехала в Америку. Умерла I5 апреля.

Праведная Иулиания Лазаревская. П. I927. стр. 35.

ТРОИЦКИЙ, Протоиерей Дмитрий. = ? - ? =.

Преп. Серафим Саровский. Таллин. I939. стр. I29.

ТРОИЦКИЙ, Сергей Викторович. =I878-I972=.

Родился 4 марта в Томске. Сын священника. Окончил Петербургскую Академию. Служил чиновником при Синоде. Преподавал каноническое право в Петербургской Академии, а потом в Новороссийском университете. Участвовал в Московском и в Киевском Соборе. Покинул Россию в I920 г. Профессор Белградского университета =I920-29= и снова I94I-45 годах. Профессор в Суботице =I929-4I=. Преподавал в Сергиевской Академии в Париже, =I947-48=. Юрисконсул Сербской Православной Церкви. Издал в I9I2 в Петербурге "Диакониссы в Православной Церкви". Умер в Белграде 27 ноября.

ТРОИЦКИЙ, Сергей Викторович. =прод.=

Что такое живая Церковь. Варшава. 1927. стр. 82.
Religion in the Soviet Union. L. 1929.
Как закрываются церкви в советской России. Бл. 1931. стр. 35.
Размежевание или раскол. П. 1932.
Христианская философия брака. П. 1933. стр. 127.
О неправде карловацкого раскола. П. 1960. стр. 148.
О святости брака. Пр. 1967.
Нелегальное кровное родство к препятствие к браку. Бл. 1931.
Что такое модернизм?
Св. Сава и славянство. Нов. Сад. 1929. стр. 11.
Наследие епископа в православной Церкви. Любляны. 1936.
How should the Kormchaya of St. Sava be dated? Beog. 1959.
Црквена јурисдикција над Православном Диаспором. =Серб.=
Ср. Кар. 1932.

Мат. Биб. I. Бл. =1931=, и II. Бл. =1941=.

ТРУБЕЦКОЙ, Григорий Николаевич. Князь. =1874-1930=.

Родился 17 сентября. Окончил Московский университет. Занимал дипломатические посты в Вене, Берлине и Константинополе, =1896-1906=. Посланник в Сербии =1912-15=. Член Московского Собора =1917-18=. Покинул Россию в 1920 г. Жил в Австрии, переехал в Париж. Общественный и церковный деятель. Друг Рус. Студ. Христ. Движения. Умер 6 января,=24 декабря по старому стилю=. Сборник его памяти напечатан в Париже в 1930.

Красная Россия и Святая Русь. П. 1931. стр. 87.

ТРУБЕЦКОЙ, Евгений Николаевич. Князь. =1863-1920=.

Родился 23 сентября в имении Ахтырка. Окончил Московский

ТРУБЕЦКОЙ, Евгений Николаевич. =прод.=

университет. Выдающийся философ, общественный деятель и искусствовед. Вместе с старшим братом Сергеем =1862-1905= был близким другом Владимира Соловьева =1853-1900=. Умер от сыпного тифа 21 января в Новороссийске.

Воспоминания. София. 1921. стр. 195.
Смысл жизни. Б. 1922. стр. 282.
Из прошлого. Вена. 1923. стр. 87.
Из путевых заметок беженца. Кисловодск. 1919. Б. 1926. =Архив русской революции.=
Три очерки о русской иконе. П. 1965. стр. 161. Включает библиографию и:
1. Умозрение в красках. =Нем. перевод 1927.=
2. Два мира в древней русской живописи.
3. Россия в ее иконе.

ТРУБЕЦКОЙ, Николай Сергеевич, князь. =1890-1938=.

Родился 16 апреля. Сын философа Серг. Ник. Трубецкого =1862-1907=. Сам - выдающийся филолог и мыслитель. Преподавал в Москве, Ростове, Софии и Вене. Участник Евразийского движения. Умер 25 июня.

Европа и человечество. София. 1920. стр. 82. Нем. пер. 1922.
Наследие Чингисхана. Б. 1926. стр. 60.
К проблеме русского самосознания. П. 1927. стр. 94.
Polische Studien. Wien. 1929.
Zur Struktur der Mordvinischen Melodien. Wien. 1933.
Das Morphologische System der Russischer Sprache. Prague. 1934.
Grundsage der Phonologie. Prague. 1939. Göttingen. 1958. P. 1949.
Altkirchenslavische Grammatik. Wien. 1954.
Dostoevskij als Kunstler. Slavische Print. LXI. 1964.

ТРУБЕЦКОЙ, Николай Сергеевич. =прод.=

Библиография и обзор его филологических работ были напечатаны в Праге в I939 г. Travaux du Circle Linguistique. T. 8.
Перепечатано под заглавием:
Etudes Phonologiques dédiées à la mémoire de M. le prince N.S.Troubetzkoy. University of Alabama Press. Alabama. 1964.

Мат. Биб. I. Бл. =I93I=, и II. Бл. =I94I=.

ТРУБНИКОВ. Протоиерей Александр Григорьевич. =I908=.

Родился IO марта в Царском Селе. Приехал с родителями во Францию в I9I6 г. Химик по образованию. Работал в Марокко. Рукоположен в I949 г. Настоятель прихода Синодальней Церкви в Медоне под Парижем. Секретарь Епархиального Совета.

L'Eglise russe hors frontières. P. 1963.
Ближний Восток-колыбель Православия. Мадрид. I964. стр. 35I.
Commentaires sur la Divine Liturgie. Meudon. 1971. pp. 61.

ТЫРКОВА-ВИЛЬЯМС. Ариадна Владимировна. =I869-I962=.

Родилась I4 ноябре на Охте в Петербурге, дочь мирового судьи. Среднее и высшее образование получила в Петербурге. Увлеклась революционными настроениями и была арестована. Впоследствии присоединилась к либеральному направлению, возглавлявшемуся П. Б. Струве. Была видной участницей в политической и литературной жизни русской либеральной интеллигенции, автор книг и журнальных статей. Вторым браком вышла замуж за Harold Williams, =умер I8 ноября, I928=, одного из соредакторов газеты The Times. Переехала в Англию в I9I8 г. с мужем и принимала живое участие в церковной и общественной жизни как английской

ТЫРКОВА-ВИЛЬЯМС. Ариадна Владимировна. =прод.=

так и русской колонии в Лондоне. Вторую мировую войну провела в оккупированной Франции. В 1951 г. переехала в Америку. Умерла в Вашингтоне 12 января.

Ее сын Аркадий Алфредович Борман написал книгу: А. В. Тыркова-Вильямс, по ее письмам и воспоминаниям сына. Лувен-Вашингтон, 1964, стр. 333.

From liberty to Brest-Litovsk. L.
Hosts of darkness. L. 1921.
Cheerful giver. (Biography of Harold Williams.) L. 1935.
Жизнь Пушкина. Т. I. =1799-1824=. П. 1929. стр. 431.
Жизнь Пушкина. Т. 2. =1824-1837=. П. 1948. стр. 481.
На путях к свободе. Н-Й. 1952. стр. 429.
То, чего больше не будет. П. 1954. стр. 267.

ФЕДОТОВ, Георгий Петрович. =1886-1951=.

Родился I октября в Саратове. Студентом инженером стал членом Соц.-демократ. партии. Бежал заграницу. Изучал историю в Германии, =1906-08=. Вернулся нелегально в Россию и окончил университет. В 1914 г. легализировал свое положение и преподавал историю сначала в Петербурге, потом в Саратове. Уехал из России в 1925 г. Преподавал в Богословском Институте в Париже. Участвовал в Рус. Студ. Христ. Движении и Содружестве св. Албания и преп. Сергия Радонежского. Основатель Православного Дела и редактор "Нового Града", =1931-1940=. В 1943 г. переехал в Америку. С 1946 г. преподавал в Св.-Владим. Семинарии. Умер I сентября в Нью-Йорке. Полная библиография его трудов напечатана его женой в Париже в 1956 г.

The Russian Church since the Revolution. L. 1928. pp. 96.
Св. Филипп Митроп. Московский. П. 1928. стр. 224.

ФЕДОТОВ, Георгий Петрович. =прод.=

Святые древней Руси. П. I93I. I960. стр. 260.
И есть и будет. Размышления о России. П. I932. стр. 2I7.
Социальное значение христианства. П. I933. стр. 32.
Стихи Духовные. П. I935. стр. I52.
The Russian Religious Mind. Cambridge, Mass. 1946, 1960, 1966. vol. 1, 431 pp.; vol. 2, 423 pp.
The Treasury of Russian Spirituality. L. 1950. pp. 449.
Новый Град. Н-Й. I953. стр. 375.
Христианин в Революции. П. I957. стр. I87.
Лицо России. =Сборник статей I9I8-I93I.= П. I967. стр. 328.
The Russian Religious Mind. Two volumes. Cam., Mass. 1966. A new edition. =Включает полную библиографию.=
Россия, Европа и Мы. П. I973.
Также Мат. Биб. I. Бл. =I93I= и II Бл. =I94I=.

ФИДЛЕР, Павел Николаевич. =I900=.

Родился в Москве 6 апреля. Участвовал добровольцем в первой мировой войне. Покинул Россию в I920 г. Учился в Германии. Изучал протестантское богословие в Монпелье и в Страсбурге =I924-28=. Принял Православие в I926 г. продолжая вести пасторскую работу в лютеранской церкви. Участник Рус. Студ. Христ. Движения. Преподавал богословие в Институте св. Дионисия.

L'Homme et Prière. P. 1951.
Le Retour de Verbe. P. 1952.
Sagesse et Prophétie. 1954.
Image de la Suprême Source.
Deux Evangiles. P. 1956. p. 80.
Приглашение на Пир. П. I96I. стр. I70.
Esprit et Parole. P. 1967. pp. 200.
Le meurtre de Dieu. P. 1967.

ФИДЛЕР, Павел Николаевич. =прод.=

Théologie polyphonique. t. I, t. II. P.
L'invité des trois Amours. P.
Les quatre murs de l'église invisible. P. 1967. pp. 96.

ФИЛИПП. Архимандрит. =Морозов=.

Окончил С. Петербургскую Духовную Академию. Эмигрировал в Польшу, =I92I=. Ректор Виленской Семинарии. В I925 перешел в Унию и был назначен миссионером в Вильну. В I927 году вернулся в Православную Церковь. Оставался в Вильне до занятия города советскими властями =I939=. Его дальнейшая судьба неизвестна.

Религиозно-философское мировоззрение Владимира Соловьева. Варшава. I928. стр. 96.

ФЛОРОВСКИЙ. Протоиерей Георгий Васильевич. =I893=.

Родился в Одессе 28 августа. Окончил Новороссийский университет =I9I6=. Преподавал в Праге. Профессор патрологии в Богословском Институте в Париже =I926-39=. Профессор и Декан Св.-Влад. Семинарии в Нью-Йорке =I939-55=. Профессор в Харвардском и Принстонском университетах. Член Содружества св. Албания и преп. Сергия Радон. Видный участник Экуменического Движения. Многочисленные статьи в международных богословских журналах.

Достоевский и Европа. София. I922. стр. 40.
Восточные Отцы IУ века. П. I93I. стр. 240.
Византийские Отцы от У до УIII вв. П. I933. стр. 260.
Пути Русского Богословия. П. I937. стр. 574.

Список статей: Зан. I937, I947, I954. Мат. Биб. I. Бл. =I93I=,

ФЛОРОВСКИЙ. Протоиерей. =прод.=

Мат. Биб. II. Бл. =I94I=.

ФОТИЕВ. Протоиерей Кирилл Васильевич. =I928=.

Родился в Москве, воспитывался в Латвии. Изучал философию в Гамбургском университете =I946-49=. Окончил Богословский Институт в Париже =I955=. Рукоположен в I96I. Переехал в Америку.

Попытка Украинской церковной автокефалии в XX веке. Мюнхен. I955. стр. 80.
Беседы о Религии. Франкф. I956. стр. 64.
Краткое введение в философию. Франкф. I956. стр. 98.
Свобода нужна каждому. Франкф. I959.

ФРАДЫНСКИЙ, Викентий Флорианович. =I892-I96I=.

Участвовал в мировой и гражданской войне. Окончил в I925 г. богословский факультет Белградского университета. Библиотекарь факультета. Доктор богословия и доцент. Умер в Белграде.

Св. Нил Синайский. =Докторская диссертация.= Бл. I928.

Ст. Мат. Биб. II. Бл. =I94I=.

ФРАНК, Семен Людвигович. =I877-I950=.

Родился I6 января в Москве в еврейской ортодоксальной семье. Поступил на юридический факультет Московского университета. Вел марксистскую пропаганду среди рабочих. Исключен из университета =I899=. Продолжал образование в Берлине. Окончил

ФРАНК, Семен Людвигович. =прод.=

Казанский университет в 1901 г. После сближение с П. Б. Струве стал редактором философского отдела "Русской Мысли", =1906=. Участвовал в Сборнике "Вехи", =1909=. Принял православие, =1912=. Декан философского факультета Саратовского университета, =1917-21=. Выехал из России =1922=. Жил в Германии до 1939 г., во Франции до 1945 г. Умер 10 декабря в Лондоне. Книга, посвященная его памяти, и с полной библиографией - С. Л. Франк 1877-1950. М. 1954.

Введение в философию. Б. 1923.
Живое знание. Б. 1923.
Религия и Наука. Б. 1924.
Крушение кумиров. Б. 1924. стр. 103.
Die Russischer Weltanschaung. B. 1926.
Смысл жизни. П. 1926. стр. 169.
Основы марксизма. П. 1926.
Материализм как мировоззрение. П. 1928. стр. 39.
Духовные основы общества. П.1930. стр. 314.
Личная жизнь и социальное строительство. П. 1933. стр. 25.
La Connaissance de l'Etre. P. 1937.
Пушкин как политический мыслитель. Бл. 1937.
Непостижимое. П. 1939. стр. 323.
God with us. L. 1946. pp. 296.
Свет во тьме. П. 1949. стр. 403.
V. Soloviev, an Anthology. L. 1950. pp. 252.
Реальность и человек. П. 1956. стр. 413. Англ. пер. 1965.
Биография П. Б. Струве. Н-Й. 1956.
Этюды о Пушкине. М. 1957.
С нами Бог. П. 1964. стр. 378. Фр. пер. 1955.
Душа человека. П. 1964. стр. 328.
Из истории русской философской мысли. Н-Й. 1965. стр. 300.
Предмет Знания. Slav. Progleen. 1966.
По ту сторону правого и левого. П. 1972.
Ересь утопизма. М. 1972. стр. 35.

ФРАНК, Семен Людвигович. =прод.=

Мат. Биб. I. Бл. =I93I= и II. Бл. =I94I=.

ФРАНЦЕВ, Владимир Андреевич. =I897-I944=.

Член Императорской Академии Наук. Доктор славянской филологии =Киев=. Профессор Варшавского и Донского университетов. Профессор Карлова университета в Праге =I922=. Член Чешской Академии Наук. Преподавал русскую литературу. Умер в Праге. Занимался взаимоотношениями между Россией и западными и южными славянами.

Мат. Биб. I. =I93I= и II. Бл. =I94I=.

ХРОЛЬ. Протоиерей Леонид. =I902=.

Родился 29 июля в Петербурге. Покинул Россию в I920. Очутился в Польше, переехал во Францию. Окончил Богословский Институт в Париже =I929=. Был регентом французского православного прихода. Рукоположен в I934. Настоятель прихода в Монтобане =Франция=.

Alpha et Omega. Montauban. 1961. pp. 216.

ЧЕЛЬЦОВ. Протоиерей Григорий.

Закон Божий. Б. =Б.Д.= стр. 2I7.

ЧЕРНАВИН. Протоиерей Иоанн.

Священствовал во Франции, переехал в Америку.

Благодатный уголок обители Нечаянная Радость. П. 1926.
Пушкин, как православный христианин. Н-Й. 1936.

ЧЕТВЕРИКОВ, Иван Пименович. =1880-1969=.

Родился 10 января. По окончании Киевской Духовной Академии, получил командировку в Германию для усовершенствования своих знаний. Профессор Киевской Академии. Ссылки и тюрьмы при советской власти. В 1941 г. мобилизован в Красную Армию. По окончании войны остался в Германии. Одно время преподавал в Богословском Институте в Париже. Читал лекции о православии во многих городах Германии. Умер 2 октября в Штутгарте.

Die Ostkirche. Stuttgart. 1950. pp. 339. Со-редактор с митрополитом Серафимом =Ляде=.
Почитание Божьей Матери в России. Герсбрук. 1943.
Преподобный Сергий Радонежский. Герсбрук. 1947. стр. 64.
Святитель Николай Чудотворец. Герсбрук. 1948. стр. 36.
О Боге, как личном существе.
Богословские статьи в Вестнике Р.С.Х.Д. и других журналах.

ЧЕТВЕРИКОВ. Протоиерей Сергий Иванович. =1867-1947=.

Родился 12 июня в купеческой семье. Окончил Московскую Духовную Академию в 1896 г. Рукоположен в том же году. Был священником при Неплюевском Братстве, законоучителем в Полтавском Кадетском корпусе с 1907 по 1920 г. и с ним же попал заграницу. Приходской священник в Югославии =1920-23=, настоятель русского прихода в Братиславе =1923-28=. Духовник Рус. Студ. Христ. Движения =1928-39=, и настоятель его храма в

ЧЕТВЕРИКОВ. Протоиерей. =прод.=

Париже. Умер 29 апреля в Братиславе.

Русский пастырь. В. Свидник. I925.
Оптина пустынь. П. I926. стр. I85.
Великим постом. П. I926. стр. 63.
Путь чистоты. П. I929. стр. 39.
Церковь и молодеж. П. I933. стр. 32.
Что такое молитва Иисусова. Сердоболь. I938.
Молдавский старец Паисий Величковский. Петсери. I938. ч. I, стр. I35; ч. II стр. I25.
О внутренних препятствиях на пути к Евангелию. П. I95I. стр. I5.
Духовный облик о. Иоанна Кронштадского и его пастырские заветы. I939.

Мат. Биб. I. Бл. =I93I=.
Список статей и краткая автобиография находится в Вестнике Церковной Жизни. № 8. Париж. Июнь, I947 года.

ЧИЖОВ, Петр Матвеевич. =I892=.

Родился в Москве 30 мая. Окончил комерческое училище. В первую мировую войну служил в Балтийском флоте. Поселился в Выборге. После второй мировой войны переехал в Гельсинфорс. Библиофил, поэт и духовный писатель.

Отец Иоанн Кронштадский. Дж. I958. стр. I92.

ШАВЕЛЬСКИЙ. Протопресвитер Георгий Иванович. =I87I-I95I=.

Родился 6 января около Витебска. Сын дьячка. Окончил Витебскую семинарию. Рукоположен I895. Окончил Петербургскую

ШАВЕЛЬСКИЙ. Протопресвитер. =прод.=

Духовную Академию =1902=. Главный священник Армии и Флота =1911=. Член Синода =1915-17=. Профессор Софийского университета =1920=.

Толстовское учение о непротивлении злу. =Болг.= София. 1934.
Свети Атанасий Великий. =Болг.= София. 1924. стр. 66.
О Боге и Его правде. София. 1938. стр. 64.
Молитва Господня. София. 1939. стр. 83.
Воспоминания. Т. I, стр. 414; т. 2, стр. 412. Н-Й. 1954.

ШАХМАТОВ, Мстислав Вячеславович. =1888-1938=.

Окончил юридический факультет Петербургского университета. Профессор русского юридического факультета в Праге.

Опыт по истории древне-русских политических идей.
Книга первая. Начало соборности. Пр. 1927. стр. 574. =Лит.=
Книга вторая. Начало единовластия. Пр. 1927.
Оправдание богатства его служилыми целями. Пр. 1927.
Исполнительная власть в Московской Руси. Пр. 1935.

Мат. Биб. I. Бл. =1931=.

ШЕФФЕР, Наталья Петровна. =урожденная Лукина=. По первому браку княгиня Волконская. =1899=.

Родилась 12 декабря. Окончила Московский Екатерининский Институт. С 1929 г. работала по иконографии под руководством Александра Ивановича Анисимова вплоть до его ареста и ссылки. С 1935 по 1955 г. заведовала славянским отделом Византийского Института Донбартон Ок в Вашингтоне.

ШЕФФЕР, Наталья Петровна. =прод.=

Twice born in Russia. N.Y. 1930.
Русская православная икона. Вашингтон. I967. стр. 223.

ШИРЯЕВ, Борис Николаевич. =I889-I959=.

Родился в Москве, окончил Московский университет. Педагог, занимался театром. В I922 г. был сослан на IO лет в Соловки, после скитался по Средней Азии и по Кавказу. Покинул Россию во время второй мировой войны. Поселился на Капри. Умер I7 апреля в Сан Ремо.

Ди-Пи в Италии. Буэнос Айрес. I952.
Я - человек Русский! Буэнос Айрес. I953.
Светильники Русской Земли. Буэнос Айрес. I953. стр. 96.
К проблеме интеллигенции СССР. Мюн. I955.
Неугасимая лампада. Н-Й. I954. стр. 405.
Религиозные мотивы в русской поэзии. Брюссель. I962. стр. 80.
=Книга содержит краткую биографию.=

ШМЕМАН. Протоиерей. Александр Дмитриевич. =I92I=.

Родился I3 мая в Таллине в Эстонии. Окончил Богословский Институт в Париже в I945. Преподавал в нем церковную историю =I945-5I=. Профессор и декан =с I962= Владимирской Семинарии в Нью-Йорке. Руководитель Рус. Студ Движения и Содружества св. Албания и пр. Сергия. Видный участник Экуменического Движения и известный лектор.

Церковь и церковное устройство. П. I949. стр. 24.
Таинство крещения. П. I95I. стр. 32.
Исторический путь православия. Н-Й. I954. стр. 382. Англ. пер. I963.

ШМЕМАН. Протоиерей. =прод.=

Введение в литургическое богословие. П. I96I. стр. 247. Англ. пер. I966.
For the Life of the World. N.Y. 1963.
Ultimate Questions. N.Y. 1965. pp. 309.
Таинства и православие. Н-Й. I965. Англ. пер. I965.
The World as Sacrament. L. 1965. pp. 142.
Great Lent. St. Vladimir Sem. Press. 1969. pp. 124.

ШМУРЛО, Евгений Францович. =I853-I934=.

Профессор Юрьевского университета. Член кореспондент Академии Наук в Риме. Преподавал в Праге.

История России =862-I9I7=. Мюн. I922.
Введение в Русскую историю. Пр. I924.
Петр Великий и его наследство. Пр. I925.
Римская курия и русский православный Восток. Пр. I925.
Этюды о Пушкине. Пр. I929.
La Russia in Asia e in Europa. Roma. 1921.
Storia della Russia. Roma. Vol. I, 1928. Vol. 2, 1929.
Jurij Krizanic. (1618-1683). Panslaviste e missionario. Roma. 1926.

Мат. Биб. I. Бл. =I93I=.

ШУСТИН. Протоиерей Василий Васильевич. =I886-I968=.

Родился I8 мая в благочестивой семье. Студентом Электро-технического Института в Петербурге стал близким к о. Иоанну Кронштадскому и Оптинским старцам. Участвовал в первой мировой войне и в Добровольческой Армии. В Югославии преподавал физику в Кадетском корпусе в Белой Церкви. Принял священство в I930 году. 30 лет был настоятелем прихода в Алжире. Умер

ШУСТИН. Протоиерей. =прод.=

в Каннах 24 июля.

Записи об о. Иоанне Кронштадском и об Оптинских старцах. Белая Церковь. 1929. Второе изд. П. 1966. стр. 48.

ЭНДЕН, Михаил Николаевич. =1901=.

Родился в С. Петербурге. Среднее образование закончил в России. Покинул родину в 1920 г. во время эвакуации Крыма. Окончил юридический факультет Парижского университета и Школу Политических Наук. Член Рус. Студ. Христ. Движения. Специалист по статистике и экономике. Многочисленные статьи по специальности а также на темы русской литературы, истории и культуры.

Devant un monde en ruines. P. 1947. pp. 204. (Pierre Vendée).
Raspoutine et le crépuscule de la monarchie en Russie. P. 1973. pp. 330.

ЯСИНИЦКИЙ, Г. И.

Введение в изучение Библии. 1936.

BIOGRAPHICAL INDEX AND BIBLIOGRAPHY

К списку русских православных богословов и философов следует прибавить имена двух выдающихся мыслителей Вячеслава Иванова и Льва Шестова. Хотя они и не были членами Православной Церкви, но все их мировоззрение было окрашено духом русского христианства, и их произведения поэтому принадлежат всецело к сокровищнице Православной Русской Культуры.

ИВАНОВ, Вячеслав Иванович. =1866-1949=.

Родился в Москве 16 февраля. Сирота, воспитан матерью. Окончил Московский университет. Занимался в Германии классической культурой. Жил в Италии и Греции. Известный поэт. Первая книга стихов в 1903. Вернулся в Россию в 1905. Поселился в Петербурге. Возглавил религиозное и философское возрождение. Переехал в Москву =1913=. В 1920 профессор классической филологии в Баку. Покинул Россию в 1924. Поселился в Риме, стал католиком в 1926. С 1936 до конца своей жизни профессор русского языка в Папском Восточном Институте. Умер 16 июля в Риме.

Переписка из двух углов. Фр. 1930, итал. и исп. 1933, нем. 1946, рус. П. 1963.
Die Russische Idee. Tübingen. 1930.
Dostojevskij. Tübingen. 1932. Англ. 1952. стр. 166.
Человек. Поэма. П. 1939.
Деяния св. Апостолов. Послания, Откровение св. Иоанна. Перевод и комментарии. Ватикан. 1946.
Псалтыр. Ватикан. 1950.
Das Alte Wahre. Сборник статей. Берлин. 1955.
Дионис и предионисийство. Глава из докторской диссертации =1923=. На немецком яз. Амстердам. 1961.
Свет Вечерний. Стихи. Оксфорд. 1962. стр. 229.

ШЕСТОВ. =Лев Исаакович ШВАРЦМАН=. =1866-1938=.

ШЕСТОВ. =Лев Исаакович ШВАРЦМАН=. =прод.=

Родился 3I января в Ковно. Сын крупного коммерсанта. Учился в Московском и Киевском университетах и окончил математический и юридический факультеты. Закончил свое образование в Италии и Швейцарии =I895-98=. Помогал отцу и занимался журналистикой. Начал писать на религиозно-философские темы. Покинул Россию в I9I9 г. Поселился в Париже, где вскоре приобрел широкую известность как выдающийся религиозный мыслитель. Книги его переведены на большинство европейских языков. Умер 20 ноября в Париже.

Библиография Шестова дана в журнале "Грани", Франкфурт, № 45-46.

Добро в учении Толстого и Ницше. Б. I923, фр. I925, нем. I923. 2 изд. П. I97I. стр. 2I4.
Достоевский и Ницше. Б. I922, фр. I926, нем. I922, исп. =Аргентина= I949. 2 изд. П. I97I. стр. 250.
All things are possible. L. 1920. Фр. I927.
Власть ключей. Б. I923. Фр. I928, нем. I926.
На весах Иова. П. I929. нем. I929, исп. I932. стр. 378.
La Révélation de la Mort. P. 1923.
Скованный Парменид. П. I932. стр. 86.
Киркегард и экзистенциальная философия. П. I939. Фр. I936, нем. I949, дат. I947, исп. I949.
Афины и Иерусалим. П. I95I. Фр. I938, нем. I938, ит. I943-46. стр. 278.
Умозрение и откровение. П. I965. стр. 344.
SOLA FIDE. Только Верою. П. I967. стр. 295.
Апофеоз беспочвенности. П. I97I. стр. 300.

Мат. Биб. I. Бл. =I93I=.

ПРИЛОЖЕНИЕ
APPENDIX

Часть материалов, имевшихся в моем распоряжении, но не включенных по недостатку места в данную библиографию, передана мною в Архив Русской Истории и Культуры при Колумбийском университете в Нью-Йорке.

В данном приложении находится дополнительная биографическая и библиографическая информация, полученная во время печатания книги.

(Part of the material, at my disposal but not included in this bibliography due to lack of space, was transferred by me to the Archives of Russian History and Culture at Columbia University in New York.

In this appendix is contained supplementary biographical and bibliographical information received at the time the book was being printed.)

ВОСТОКОВ. Митрофорный протоиерей. Владимир. =1868-1957=.

Член Учредительного Собрания и Всероссийского Собора. Объявлен вне закона большевикам за обличительные речи. Скрывался от них на юге России. Духовник и проповедник армии генерала Врангеля в Крыму =1920=. Переселился в Сербию. Законоучитель русской гимназии в Кикинде. При приближении красной армии покинул Югославию =1944=. Был настоятелем церквей в различных лагерях русских беженцев в Австрии и Германии. Настоятель церкви св. Тихона Задонского в Сан-Франциско с 1951 до 1957.

Розы и шипы. Ч. 1: Сан-Франциско, 1953, стр. 74. Ч. 2: Сан-Франциско, 1954, стр. 96.

APPENDIX

ДЕПУТАТОВ. Протоиерей Николай Михайлович. =I896=.

В I949 был назначен настоятелем Успенской церкви в Харбине. В I957 прибыл в Австралию. С I962 г. настоятель собора в Бризбене.

Сотрудник церковных журналов: "Хлеб Небесный" =Харбин=, Годовых Выпусков Харбинского богословского факультета, "Церковного Слова" =Сидней=, "Православной Руси" =Джорданвилл=.

Ревнитель благочестия I9-го века-епископ Феофан Затворник. Дж. I97I.

КАЛИНОВИЧ. Протопресвитер Павел.

Разговор с безбожниками о Боге. Сан-Франциско. I957. стр. I9.

КОЛЧЕВ, Леонид. Протоиерей. =I87I-I944=.

Родился 22 сентября. Окончил в I897 г. Тамбовскую семинарию и был рукоположен. Во время настоятельства в Моршанске много потрудился в деле образования, постройки школы и учительской семинарии. Был переведен в императорское имение Orианда в Крыму и в I905 г. был зачислен в штат придворного духовенства. Прошел заочно курс Московской Духов. Академии =I909=. В I9I8 г. был переведен в Ливадию. Священствовал в Константинополе =I920-24=. С I924 до своей смерти настоятель церкви в Копенгагене и духовник вдовствующей императрицы Марии Федоровны =I847-I928=. Умер 7 июня.

ПОЛЬСКИЙ. Протопресвитер Михаил Афонасьевич. =I89I-I960=.

Родился 6 ноября в станице Новотроицкой Кубанской области. Сын псаломщика. Бежал из России в I930 г. после заключений в

ПОЛЬСКИЙ. Протопресвитер. =прод.=

тюрьмах и лагерях. Сперва попал в Палестину, потом был настоятелем прихода в Лондоне. Умер в Америке.

ФЕОФАНИЯ. Монахиня.

По Божьему пути. Сан-Франциско. I957. стр. 40.

СБОРНИКИ НА РЕЛИГИОЗНЫЕ И РЕЛИГИОЗНО-ФИЛОСОФСКИЕ ТЕМЫ
COLLECTIONS ON RELIGIOUS AND RELIGIOUS-PHILOSOPHICAL THEMES

БЕССМЕРТИЕ ДУШИ
М. 1947. стр. 141.

БОГОСЛОВСКИЙ СБОРНИК
=Труды преподавателей Св. Тихновской Семинарии.=
South Canaan, Pennsylvania. 1954-56. Выпуски 1-3.

ВЕЛИКИЙ ПОСТ
Ред. о. М. Польский
Л. стр. 20.

ВОСКРЕСЕНИЕ ХРИСТОВО
Ред. о. М. Польский
Л. 1947. стр. 20.

ВОЗДВИЖЕНИЕ КРЕСТА
Ред. о. М. Польский
Л. 1947. стр. 22.

РОЖДЕСТВО ХРИСТОВО
Ред. о. М. Польский
Л. 1947.

ВЕСНА
Ред. Архимандрит Виталий
Л. 1948. стр. 20.

ВЕРА, РОДИНА, СЕМЬЯ
=Сборник изданный Русским, Трудовым, Христианским Движением.=
Женева. 1941. стр. 115.

COLLECTIONS ON RELIGIOUS AND RELIGIOUS-PHILOSOPHICAL THEMES

ВЛАДИМИРСКИЙ СБОРНИК
=В память 950-летия крещения Руси: 988-I938.=
Бл. I938. стр. 220.

ВОЛЬНЫЕ МЫСЛИ
Буэнос Айрес. Вып. I =I957=, вып. 2 =I960=, вып. 3 =I96I=.
=Статьи Арсеньева, Вейдле, Зандера, Зеньковского, Н. Лосского, Степуна и других.=

ВСЕЛЕНСКОЕ ДЕЛО
=Сборник памяти Н. Ф. Федорова, I829-I903.=
Рига. I925. стр. 205.
=Статьи Кононова, Чхеидзе, Александрова, Чуева и других.=

ДЕТИ ЭМИГРАЦИИ
Ред. В. Зеньковский
Пр. I925. стр. 25I.
=Статьи Зеньковского, Левитцкого, Руднева, Цурикова, Бема и Петра Долгорукова.=

ЕВРАЗИЙСКИЙ ВРЕМЕННИК
Книга 3 - Б. I923, стр. I74
Книга 4 - Б. I925, стр. 445
Книга 5 - П. I927, стр. 304.

ЖИВОЕ ПРЕДАНИЕ
П. I937. стр. I95.
=Статьи Афанасьева, Булгакова, Зандера, Зеньковского, В. Ильина, Карташева, арх. Киприана =Керна=, арх. Кассияна =Безобразова=, Сове, Федотова, Лютова.

ЗНАМЯ ПРЕПОДОБНОГО СЕРГИЯ РАДОНЕЖСКОГО
I934. стр. I34.

COLLECTIONS ON RELIGIOUS AND RELIGIOUS-PHILOSOPHICAL THEMES

ИСХОД К ВОСТОКУ
=Утверждения Евразийцев.=
Книга I - София. I92I. стр. I25.
=Статьи Савицкого, Сувчинского, Флоровского, кн. Н. Трубецкого.=

НА ПУТЯХ
=Утверждения Евразийцев.=
Книга 2 - Б. I922. стр. 356.
=Статьи Савицкого, Бицилли, Карташева, кн. Н. Трубецкого, Флоровского и других.=

НОВЫЕ ВЕХИ
Пр. I945.

ОБНОВЛЕННАЯ РОССИЯ
Франкфурт. I960. стр. 200.
=Статьи Н. Андреева, И. Ильина, Н. Арсеньева и других.=

ОТЕЦ ИОАНН КРОНШТАДСКИЙ
=К столетию со дня его рождения.=
П. I929.

ПАМЯТИ СВЯТЕЙШЕГО ПАТРИАРХА ТИХОНА
Дж. I950. стр. 57.

ПЕРЕСЕЛНИЕ ДУШ
=Проблема бессмертия в окультизме и христианстве.=
П. I936. стр. I67.
=Статьи Бердяева, Булгакова, Вышеславцева, Зеньковского, Франка, Флоровского.=

ПРАВОСЛАВНОЕ ДЕЛО
П. I939. стр. 96.
=Статьи Бердяева, Матери Марии =Скобцовой=, Мочульского, Федотова=

COLLECTIONS ON RELIGIOUS AND RELIGIOUS-PHILOSOPHICAL THEMES

ПРАВОСЛАВИЕ И КУЛЬТУРА
Б. 1923. стр. 285.
=Статьи Аничкова, Г. Афанасьева, Бема, М. Георгиевского, Зеньковского, Новгородцева, А. Погодина, А. Соловьева, Ф. Тарановского, С. Троицкого.=

ПРОБЛЕМА РУССКОГО РЕЛИГИОЗНОГО СОЗНАНИЯ
Б. 1924. стр. 389.
=Статьи Вышеславцева, Бердяева, Карсавина, Зеньковского, Франка, Н. Лосского, и Арсеньева.=

ПРАВОСЛАВИЕ В ЖИЗНИ
Н-Й. 1953. стр. 411. Ред. С. Верховской.
=Статьи Верховского, Зеньковского, Шмемана, Мелия, Князева, Карташева, Арсеньева, Б. Бобринского, и Н. Струве.=

ПРАВОСЛАВНЫЕ СБОРНИКИ
П. 1947-49.
Ред. епископ Нафанаил =Львов=.

ПРАВЕДНИК ВО ВЕКИ ЖИВЕТ
К пятидесятилетию со для преставления преп Серафима Саровского =1903-1953=.
Сборник статей.
Дж. 1953. стр. 160.

СВЕТ ИСТИНЫ
=Сборник изданный Русских Трудовым Христианским Движением.=
Женева. 1939.

РЕЛИГИЯ И НАУКА
М. 1947. стр. 160.

COLLECTIONS ON RELIGIOUS AND RELIGIOUS-PHILOSOPHICAL THEMES

РОССИЯ И ЛАТИНСТВО
Б. 1923. стр. 219.
=Статьи Савицкого, Сувчинского, Бицилли, Вернадского, Карташева, Флоровского, В. Ильина, кн. Н. Трубецкого.=

РУССКАЯ ПРАВОСЛАВНАЯ ЦЕРКОВЬ В СССР
Ред. Р. Редлиха
М. 1962. стр. 244.
=Статьи П. Соколова, А. Боголепова, Д. Константинова, Н. Аделина, игум. Георгия.=

СОФИЯ
=Проблемы духовной культуры и религ. философии.=
Ред. Бердяев
Б. 1923. стр. 190.
=Статьи Бердяева, Франка, И. Ильина, Карсавина, Н. Лосского, Новгородцева, Сувчинского.=

СТАРЫЕ МОЛОДЫМ
П. 1960. стр. 107.
=Статьи Арсеньева, Вейдле, Зандера, Зеньковского, Н. Лосского, Степуна и других.=

ТРИДЦАТЫЕ ГОДЫ.
=Утверждение Евразийцев.=
П. 1931. стр. 317.
=Статьи Н. Алексеева, Вернадского, Савицкого, Чхеидзе, В. Ильина, Чухнина и других.=

ХРИСТИАНСТВО, АТЕИЗМ И СОВРЕМЕННОСТЬ
П. 1969. стр. 175.
=Статьи Бердяева, В. Ильина, Франка.=

COLLECTIONS ON RELIGIOUS AND RELIGIOUS-PHILOSOPHICAL THEMES

ХРИСТИАНСКОЕ ВОЗСОЕДИНЕНИЕ
=Экуменическая проблема в православном сознании.=
П. 1933. стр. 166.
=Статьи Булгакова, Бердяева, Карташева, Зеньковского и других.=

ХРИСТИАНСКАЯ ЖИЗНЬ ПО ДОБРОТОЛЮБИЮ
Харбин. 1930. стр. 216.

ХРИСТИАНСТВО ПЕРЕД СОВРЕМЕННОЙ СОЦИАЛЬНОЙ ДЕЙСТВИЕТЕЛЬНОСТЬЮ
П. 1932. стр. 31.
=Речи Бердяева, Булгакова, В. Ильина, Федотова.=

ЮБИЛЕЙНЫЙ СБОРНИК
=25-летие служения Феодосия, архиепископа Сан Паульского и вся Бразилии.=
Сан Пауло. 1956. стр. 65.

В эмиграции были перепечатаны сборники:

ВЕХИ
М. 1909. стр. 210
Франкфурт. 1967.
=Статьи Бердяева, Булгакова, Гершензона, Изгоева, Кистяковского, Струве и Франка.=

ИЗ ГЛУБИНЫ
Сборник статей о русской революции.
М. 1918; П. 1967, стр. 331.
=Статьи Аскольдова, Бердяева, Булгакова, Вячеслава Иванова, Изгоева, С. Котляревского, В. Муравьева, Новгородцева, И. Покровского, Струве, и Франка.=

COLLECTIONS ON RELIGIOUS AND RELIGIOUS-PHILOSOPHICAL THEMES

БОГОСЛОВСКИЕ СБОРНИКИ НА ИНОСТРАННЫХ ЯЗЫКАХ, С УЧАСТИЕМ РУССКИХ БОГОСЛОВОВ

THE CHURCH OF GOD
London. 1934
230 pp.
Ed. E. Mascall
(Articles by Florovsky, Fedotov, Karpov, Bulgakov, Kartashov, Zernov and others.)

THE MOTHER OF GOD
Ed. E. Mascall
London. 1949. 80 pp.
(Articles by V. Lossky, Florovsky, Lev Gillet and others.)

THE ANGELS OF LIGHT AND THE POWERS OF DARKNESS
Ed. E. Mascall
London. 1954
90 pp.
(Articles by Basil Krivoshein, Hodges, Gilbert Shaw and others.)

THE ORTHODOX ETHOS
Ed. A. Philippou
Oxford. 1964
288 pp.
(Articles by E. Lampert, L. Ouspensky, Archim, Sophrony, N. Zernov.)

THE PRIMACY OF PETER
London. 1963. 134 pp.
French and German editions, 1961
(Articles by Afanassieff, Meyendorff, Schmemann, N. Koulomzine.)

РЕЛИГИОЗНЫЕ И ЦЕРКОВНЫЕ ПЕРИОДИЧЕСКИЕ ИЗДАНИЯ
RELIGIOUS AND CHURCH PERIODICAL PUBLICATIONS

Русская эмиграция создала целый ряд периодических религиозных изданий. Третий том "Эмигрантской Периодики", изданный Русской Зарубежной Книжной Палатой =редактор М. В. Шатов=, Н-Й., 1972, насчитывает около 300 изданий, посвященных религиозным и философским вопросам =1917-56=. Подавляющее большинство их имело ограниченную циркуляцию и кратковременное существование. Многие из них издавались ротаторным способом.

Православные журналы занимают по своей численности первое место среди этих изданий. Они могут быть подразделены на три главные группы.

1. Журналы религиозно-философского и церковно-общественного характера.
2. Органы церковного управления.
3. Издания обслуживающие духовные нужды прихожан.

Наибольший интерес для данной библиографии представляют журналы первой группы. Список изданий второй и третьей категории не носит исчерпывающего характера.

RELIGIOUS AND CHURCH PERIODICAL PUBLICATIONS

I. ЖУРНАЛЫ РЕЛИГИОЗНО-ФИЛОСОФСКОГО И ЦЕРКОВНО-ОБЩЕСТВЕННОГО ХАРАКТЕРА

ВЕСТНИК РУССКОГО СТУДЕНЧЕСКОГО ХРИСТИАНСКОГО ДВИЖЕНИЯ
Редакторы: Н. Зернов, =1925-29=. И. Логовский, =1929-36=. Г. Федотов, =1930=. В. Зеньковский, =1937-38=. Л. Липеровский, =1939=. А. Киселев и Бенигсен, =1949=. И. Морозов, =1950-55=, Редакционная Коллегия =1955-70=, Н. Струве, =1970- прод.=
Париж, 1925-39. Мюнхен, 1949. Париж, 1950- прод. издав.
№ 1-9 =1925-26= были напечатаны на ротаторе.

ВЕСТНИК ПРАВОСЛАВНОГО ДЕЛА
Редактор П. С. Лопухин
Женева. 1959-62
№№ 1-12.

ВЕСТНИК ЦЕРКОВНОЙ ЖИЗНИ
=Издавался на ротаторе.=
Редактор Л. А. Зандер
Париж. 1945-47
№№ 1-8.

НОВЫЙ ГРАД
Редакторы: Бунаков, Степун, Федотов
Париж. 1931-39
№№ 1-14.

ПРАВОСЛАВНАЯ МЫСЛЬ
=Труды православного богословского Института в Париже.=
Париж. 1928-71
№№ 1-14. =№№ 12 и 13 были изданы по французски.=

RELIGIOUS AND CHURCH PERIODICAL PUBLICATIONS

ПУТЬ
Редактор Н. А. Бердяев
Париж. I925-40
№№ I-6I.

РУССКИЙ ГОЛОС
Редактор И. А. Ильин
Берлин. I927-30
№№ I-9.

ПРАВОСЛАВНАЯ КАРПАТСКАЯ РУСЬ
Редактор архимандрит Виталий =Максименко=
Владимирово. I928-35.

ПРАВОСЛАВНАЯ РУСЬ
=Продолжение предыдущего органа.=
Редактор архимандрит Серафим =Иванов=,до I950 года.
Владимирово. I935-46
Женева. I946
Джорданвилл. I947- прод.

ПРАВОСЛАВНАЯ ЖИЗНЬ
=Ежемесячное приложение к Православной Руси.=
Джорданвилл. I950-прод.

ПРАВОСЛАВНЫЙ ПУТЬ
=Ежегодное приложение к Православной Жизни.=
Джорданвилл. I950- прод.

ЦЕРКОВНАЯ ЖИЗНЬ
Редактор прот. Г. Граббе, I932-46 и I95I-67
Сремские Карловцы. Н-Й.

ВЛАДИМИРСКИЙ ВЕСТНИК
Редактор В. Д. Мержеевский
I948-68. Сан Пауло.

RELIGIOUS AND CHURCH PERIODICAL PUBLICATIONS

ХЛЕБ НЕБЕСНЫЙ
Издание Казанско-Богородичного мужского Монастыря
Редактор Архимандрит Ювеначий
Харбин. I925-46.

ПРАВОСЛАВНЫЙ БЛАГОВЕСТНИК
Редактор Проф. Павловский
Харбин. I935-46.

RELIGIOUS AND CHURCH PERIODICAL PUBLICATIONS

II. ОРГАНЫ ЦЕРКОВНОГО УПРАВЛЕНИЯ

ЮРИСДИКЦИЯ МОСКОВСКОГО ПАТРИАРХАТА

ВЕСТНИК РУССКОГО ЗАПАДНО-ЕВРОПЕЙСКОГО ПАТРИАРШЕГО ЭКЗАРХАТА
Париж. I947-49
Новая Серия. I950-72
№№ I-77. =прод.=

ГОЛОС ПРАВОСЛАВИЯ
=Орган Германской епархии Московской Патриархии.=
Берлин.

ЕДИНАЯ ЦЕРКОВЬ
=Орган Московского Патриархата для Северной Америки.=
Нью-Йорк.

ЮРИСДИКЦИЯ ВСЕЛЕНСКОГО ПАТРИАРХАТА

ЦЕРКОВНЫЙ ВЕСТНИК
Редактор прот. Николай Сахаров, I926-5I. Епископ Силвестр. Епископ Мефодий.
Париж. I926-39; I946- прод.

ЮРИСДИКЦИЯ ЗАРУБЕЖНОЙ СИНОДАЛЬНОЙ ЦЕРКВИ

ЦЕРКОВНЫЕ ВЕДОМОСТИ
Белград. I922-30
Редактор Е. И. Махараблидзе.

ЦЕРКОВНОЕ ОБОЗРЕНИЕ
Редактор Е. И. Махараблидзе
Сремские Карловцы. I923-30.

RELIGIOUS AND CHURCH PERIODICAL PUBLICATIONS

ПРАВОСЛАВНЫЙ ГОЛОС
Редактор архим. Нафанаил =Львов=
Харбин. I934-37.

ЦЕРКОВНЫЙ ГОЛОС
М. I955-57.

ВЕСТНИК ПРАВОСЛАВНОГО ДЕЛА
М. I959-63.

СИМ ПОБЕДИШИ
Орган Бразильской епархии
I935-68.

RELIGIOUS AND CHURCH PERIODICAL PUBLICATIONS

III. ИЗДАНИЯ ОБСЛУЖИВАЮЩИЕ ДУХОВНЫЕ НУЖДЫ ПРИХОЖАН

ВЕЧНОЕ
Редактор Епископ Мефодий =Кульман=
Аньер. 1946- прод.

СЕРГИЕВСКИЕ ЛИСТКИ
Редактор Братство Студентов Богословского Института
Париж. 1927-39.

ХРИСТИАНСКИЙ ГОЛОС
Мюнхен. 1949
№№ 1-10.

РУССКАЯ ИДЕЯ
Редактор Д. Грибанов
Мюнхен. 1952-53
№№ 1-30.

ЦЕРКОВНАЯ ЛЕТОПИСЬ
Редактор прот. Михаил Польский
Лондон. 1945-47.

ХРИСТИАНСКАЯ ЖИЗНЬ
Редактор прот. В. Раменский
Лион. 1946.

ДУХОВНЫЕ БЕСЕДЫ
Редактор прот. А. Сергиенко
Медон. 1946-47.

ПРАВОСЛАВНОЕ ОБОЗРЕНИЕ
Сан-Паоло. 1948.

RELIGIOUS AND CHURCH PERIODICAL PUBLICATIONS

ПРАВОСЛАВНЫЕ ЖУРНАЛЫ НА ИНОСТРАННЫХ ЯЗЫКАХ

THE JOURNAL OF THE FELLOWSHIP OF ST. ALBANS AND ST. SERGIUS
London. 1928-1933. No. 1-21. (mim.)
1933-1934. No. 22-26. (printed)
From March, 1935, renamed
SOBORNOST
Series 1-6
(1972- cont.)

ST. VLADIMIR'S SEMINARY QUARTERLY
New York. 1953-1968
From 1969 renamed

ST. VLADIMIR'S THEOLOGICAL QUARTERLY
Vol. 1-16. (1972- cont.)

PRESENCE ORTHODOXE
Paris. 1968
1-17. (1972 - cont.)

CONTACTS
Paris. 1949
1-77. (1972- cont.)

THE ORTHODOX WORD
Platina (California). 1964
1-42. (1972- cont.)

КРАТКИЙ АЛФАВИТНЫЙ СПИСОК АВТОРОВ
CONCISE ALPHABETICAL LIST OF AUTHORS

CONCISE ALPHABETICAL LIST OF AUTHORS

CONCISE ALPHABETICAL LIST OF AUTHORS

CONCISE ALPHABETICAL LIST OF AUTHORS

CONCISE ALPHABETICAL LIST OF AUTHORS

CONCISE ALPHABETICAL LIST OF AUTHORS

CONCISE ALPHABETICAL LIST OF AUTHORS

CONCISE ALPHABETICAL LIST OF AUTHORS

CONCISE ALPHABETICAL LIST OF AUTHORS

CONCISE ALPHABETICAL LIST OF AUTHORS